IDIOMAS HOY

Escribir cartas

ESPAÑOL LENGUA EXTRANJERA

IDIOMAS HOY

Escribir cartas

ESPAÑOL LENGUA EXTRANJERA

de

Enrique Pastor

Centro de Investigación y Publicaciones de Idiomas
C/ Bruch, 21. 1º-1ª
08010 Barcelona

Serie IDIOMAS HOY

Dirección editorial:
Detlev Wagner y Neus Sans

Coordinación editorial:
Olga Juan y Mireia Boadella

Escribir cartas -
ESPAÑOL LENGUA EXTRANJERA
de Enrique Pastor
Adaptación:
Equipo editorial

Título de la edición original:
Espagnol correspondance
publicado por Editions Nathan, París

ISBN 84-87099-61-0
Depósito legal M-14593-1994
Printed in Spain
Gráficas Rama, S. A.

ÍNDICE

MODO DE EMPLEO

Si quieres dominar todo tipo de textos escritos

• Primero, lee las REGLAS GENERALES expuestas en el primer capítulo.
• Después, aprende a redactar tus cartas activamente, completando el modelo con las opciones de los tests y comparando tus resultados con la carta que tienes al dorso.
• En ¿CÓMO SE DICE? se proponen diferentes expresiones sobre un mismo tema o para una función.
• ¡NO OLVIDES! contiene tanto elementos destacables de la lengua como "errores" que hay que evitar.
• En ¡AHORA TÚ! tienes que redactar tus propias cartas a partir de la directrices que se te ofrecen, para recordar las expresiones más usuales y manejar sus variantes.

Si lo que necesitas es un punto de referencia

• En el ÍNDICE encontrarás el tema que te interesa.
• Las REGLAS GENERALES te recordarán las normas de uso que tienes que tener siempre en cuenta, es decir, colocación de los elementos en una carta, sobres, anexos, firmas, estilo, etc.
• En ABREVIATURAS Y SIGLAS puedes consultar las formas más usuales en el ámbito de la correspondencia tanto profesional como privada.

¡Suerte con la redacción...!

REGLAS GENERALES

El destinatario y el remitente

• El membrete
En la correspondencia privada, el membrete del remitente se encuentra en la parte izquierda de la carta. En la correspondencia comercial, la presentación del nombre de la empresa, la dirección, los números de teléfono y de fax dependen de cada empresa, pero en la mayoría de los casos aparecen centrados en la parte superior o bien a la izquierda de la página.

• *La dirección del destinatario*
Puede situarse tanto a la izquierda debajo de la dirección del remitente (a la inglesa), o alineado a la derecha (a la francesa); su situación depende del empleo de sobres con ventanilla o no. Actualmente, se tiende a escribir la dirección del destinatario a la derecha, debajo del membrete del remitente.

En España se presenta la dirección del destinatario de la siguiente forma :

– título civil abreviado seguido del nombre y los apellidos	Sr. D. Juan Cárdenas Umbral
– puesto en la empresa	Director de Ventas
– razón social	FRONDO S.A.
– calle y número	C/Concha Espina, n° 20, 3° dcha. *o* Concha Espina, 20, 3° dcha.
– código postal y ciudad, seguidos del nombre de la provincia entre paréntesis, si es que la ciudad no es la capital	20500 MONDRAGON (Guipúzcoa)

Las abreviaturas que más se utilizan para escribir las direcciones son las siguientes :

C/ : calle
Av. (Avda.) : avenida
Pº : paseo
Pza. : plaza
Pje. : pasaje
Ctra. *o* crta. : carretera
entlo. : entresuelo
izq. : izquierda
dcha. : derecha
n° : número

La fecha

Se escribe , generalmente sin abreviar, a la derecha, debajo de la dirección del remitente y delante de la dirección del destinatario. Algunas empresas escriben la fecha a la derecha debajo de la dirección del destinatario.
La forma más corriente de presentar la fecha es :
Madrid, 7 de mayo de 1993 *(el nombre de la ciudad va seguido de coma). Si en el membrete figura la población no es necesario repetirla en la fecha.*
En Sudamérica se escribe la fecha de la siguiente forma:
Bogotá a 30 de *(mes)* de *(año).*

Los títulos civiles y las abreviaturas

Sr. D. (Señor Don): *delante del nombre y del apellido de un hombre.*
Sra. Dª (Señora Doña): *para una mujer.*
Srta. *(en desuso): para una mujer que no está casada.*
Sr. (Señor) *o* Sra. (Señora): *seguido del apellido.*

Hay otra serie de tratamientos que hay que tener en cuenta al trabajar con la correspondencia española :
– Excmo. Sr. (Excelentísimo Señor), *seguido del cargo* (Embajador, Consejero de Estado, Ministro...*) o del nombre y del apellido, de la forma siguiente* Sr. D. : Excmo. Sr. D. Manuel Cuevas del Valle.

– Excmo. y Mgfco. Sr. (Excelentísimo y Magnífico Señor) Rector de la Universidad de Salamanca *(solo se usa este título para los rectores de las universidades).*
– Ilmo(a). Sr(a). (Ilustrísimo-a Señor-a), *seguido del cargo (*Alcalde de Soria, Director General de..., Director del Instituto de Enseñanza Media « Gabriel Miró »*...) o del nombre y el apellido precedidos de* Sr. D. *o* Sra. Dª. : Ilma. Sra. Dª. Catalina Castro Sánchez.
– Sr. Juez de Primera Instancia, *etc.*

En algunas partes de Hispanoamérica el nombre del destinatario va precedido del título universitario :
Ldo. (Licenciado) Emiliano Zapata Pérez.
Dr. (Doctor) Juan Cuesta Arriba.

Si se trata de correspondencia comercial y no se conoce el nombre del destinatario, se dirigirá la carta al nombre del departamento correspondiente : Departamento (Sección) de Personal *y la fórmula de saludo será* Señores.

Encabezamiento y fórmula de despedida

Cualquiera que sea la fórmula usada como encabezamiento aparecerá seguida de dos puntos, nunca de coma.

• *Relaciones formales*
Dentro de las relaciones formales y laborales se usa :
Estimado Sr. :
Estimada Sra. :
Estimado cliente :

Cada vez se extiende más el uso de :
Señor :
Señora :

Para dirigirse a una sociedad :
Señores :

Si nos dirigimos a nuestros destinatarios solo con los tratamientos de Señor, Señora *y* Señores *no se pueden usar las formas abreviadas.*

Los tratamientos de respeto son :
Distinguido Sr. :
Distinguida Sra. :

Muy frecuentes eran, pero están cada vez más en desuso, las formas :
Muy Sr(a). mío(a) (nuestro-a) :
Muy Sres. míos (nuestros) :

Si en el encabezamiento hemos usado el tratamiento correspondiente al cargo ocupado por el destinatario :
Excmo(a). (y Mgfco-a) Sr(a). :
en el cuerpo de la carta usaremos V. E. (Vuestra Excelencia) *para dirigirnos al mismo.*

Si hemos empleado Ilmo(a). Sr(a)., *nos dirigiremos al destinatario en el cuerpo de la carta con el tratamiento abreviado* V. I. (Vuestra Ilustrísima).

Para dirigirse a jueces, presidentes de Audiencias, alcaldes, delegados provinciales de Ministerios, etc. con el tratamiento de Señoría , e*n el cuerpo de la carta usaremos* Vuestra Señoría *(abreviado* V.S.) *o* Usía.

Las fórmulas de despedida más frecuentes son :
Atentamente,
Un atento saludo.
Reciban un atento (cordial) saludo,

En la fórmula de despedida el verbo se pone en tercera persona (se supone que la despedida proviene de la persona que firma). Escribiremos le(s) saluda, se despide *y no* les saludo, me despido. Por ejemplo:
Atentamente les saluda,
Les saluda (muy) atentamente,
Se despide atentamente,

Enriqueta Sanz Díaz
Directora de Ventas

• *Relaciones menos formales (según el grado de intimidad) :*

Encabezamiento	*Fórmula de despedida*
Estimado(a) amigo(a) :	Un cordial saludo.
Querido amigo :	Te saluda cordialmente,
Si la correspondencia es entre dos hombres :	
Querido Paco :	Un (fuerte) abrazo. Muchos abrazos.
Si la carta se dirige a una persona del sexo opuesto :	
Querida Pili :	Un abrazo. Besos. Muchos besos.
Si la correspondencia es entre dos mujeres :	
Querida Charo :	Un beso. Besos. Muchos besos.

En la correspondencia privada, las fórmulas de despedida se completan con otras fórmulas :
Muchos besos a todos...

... y recuerdos (saludos) a tus padres.

La firma

La firma aparece a la derecha o en el centro de la carta, después de la despedida final.

En la correspondencia comercial la firma va siempre acompañada de la antefirma. *La firma se pone entre el cargo y el nombre del firmante precedido de* Fdo.(firmado).

DIRECTOR DE RECURSOS HUMANOS
Felipe García Ortega
Fdo. : Felipe García Ortega

En algunos casos la firma va precedida del nombre de la sociedad y seguida del nombre del firmante (precedido de Fdo. :*) y el cargo que desempeña en la sociedad o empresa.*

LETREROS Y LETRILLAS S.A.
Felipe García Ortega
Felipe García Ortega
Director de Recursos Humanos

En otros casos la firma precede al nombre del firmante (después de Fdo. :*) y del cargo en la sociedad.*

Felipe García Ortega
Felipe García Ortega
Director de Recursos Humanos

En la correspondencia privada, una mujer casada puede firmar con el apellido de familia seguido de de *y del apellido del marido.*

Rebeca Rodríguez de Canto

En la correspondencia comercial, una mujer casada firma siempre con el apellido de la familia y nunca con el del marido. La mujer conserva su propio nombre.

Las abreviaturas y anexos

• *Las referencias*

Arriba a la izquierda, como parte de la presentación de la carta, se incluyen las abreviaturas :

s/ref. n/ref.

n/ref. : (nuestra referencia), *la referencia del remitente compuesta de las iniciales de la persona que ha mandado escribir la carta y de la persona que la ha escrito, separadas por una barra y a continuación el número de registro :* EPG/TGP 012.

s/ref. : (su referencia), *la referencia del destinatario. Es la referencia que el remitente toma de la anterior carta para su respuesta.*

• *El tema de la carta* : el asunto

Alineado a la derecha debajo de s/ref. ; *algunas cartas comerciales dedican un espacio a la exposición del tema de la carta, bajo el epígrafe o título de* Asunto : Envío facturas.
El asunto se presenta muy brevemente, telegráficamente.

• *El destinatario real*

Es la persona a la que se dirige la carta dentro de la empresa o sociedad. Se indica de la siguiente forma :

A la atención del Sr. Pérez López

Lo haremos constar después de la dirección.

• *Delante de las firmas pueden aparecer las abreviaturas* P. O. (por orden) *o* P. A. (por autorización) *indicando que la persona que firma la carta tiene la autorización de la persona*

responsable.
Las iniciales P.P. (por poderes) *indican que la persona que firma la carta posee una autorización legal para firmar en nombre de cualquier otra persona o de la empresa.*

• Los anexos
Después de la firma, abajo a la izquierda, los anexos indican los documentos que acompañan a la carta :

Anexos :
Anexo n° 1 : Ficha técnica
Anexo n° 2 : Condiciones generales

• *El post-scriptum,* la posdata o la nota bene.
Debajo de los anexos y también a la izquierda puede aparecer la posdata :
P. S. *o* P. D. *: se utiliza generalmente en la correspondencia privada e introduce algo importante que se ha olvidado en el cuerpo de la carta.*
N. B. : la nota bene *se usa para insistir en algún punto concreto que es importante.*

Estilo y presentación de la página

• *El cuerpo de la carta comienza en la primera línea después del encabezamiento o fórmula de saludo. El cuerpo puede disponerse en dos estilos :*
El estilo en bloque : los párrafos se alinean a la izquierda y están separados por un doble espacio.
El estilo alineado : cada párrafo comienza con su primera línea entrada.

• *Si la carta se compone de más de un folio habrá que poner al final a la derecha .../... para indicar que la carta continúa, el mismo signo se hará constar al principio a la izquierda, para indicar que es una continuación.*

• *El contenido debe expresarse de forma clara y sencilla, evitándose las expresiones ambiguas que puedan inducir a error o reclamaciones.*
Si en la carta se introducen varios temas, cada uno debe presentarse en su propio párrafo.

• *Las cantidades se escriben en cifra y con todas las letras :*
...la cantidad de 532.951 pts. (quinientas treinta y dos mil novecientas cincuenta y una pts.).

El sobre

En el sobre aparecen el nombre y la dirección del destinatario igual que en la parte superior de la carta y con sus mismas abreviaturas.

Sr. D. Juan Cárdenas Umbral
Director de Ventas
FRONDO S.A.
C/Concha Espina, n° 20, 3° dcha.
20500 MONDRAGÓN (Guipúzcoa)

Una carta modelo

ZAGALA S.A.
Polígono Industrial « La Morriña » Bloque n° 12 — 27072 LUGO
Tfno. : (982) 31 70 47 Fax : (982) 33 40 75

s/ref. AB/CD 124 n/ref. LC/GH 213

TEJE-MANEJE S.A.
Departamento de Clientes
Orense, 258
28020 MADRID

Lugo, 6 de noviembre de...

Asunto : Envío cheque

A la atención del Sr. Molina.

Señores :

Adjunto les envío cheque por valor de 145.000 pts. (ciento cuarenta y cinco mil pesetas), correspondiente a su factura n° 025 fecha 25 de octubre pasado.

Sin otro particular, se despide atentamente,

Zagala S. A.
Departamento de Contabilidad

Luis Carneiro.

Fdo : Luis Carneiro

1 CONCERTAR UNA CITA

UNA CITA PRIVADA

Ayuda a completar la siguiente carta en la que se concierta una cita privada aprovechando un viaje de negocios :

Rodolfo Hernández contacta con una periodista de la revista española ¿Qué tal? de la que es amigo y, aprovechando una cita de interés comercial para los dos, poder saludarse y recordar los buenos tiempos.

1. ***Encabezamiento para la primera carta :***
   - Estimada Señorita :
   - Muy Sra. mía :
   - Querida Petra :
   - Estimada amiga :

2. ***Expresar intención :***
   - pienso permanecer en
   - me planteo quedarme en
   - pienso quedarme en
   - en absoluto tengo la intención de quedarme en

3. ***Para referirse a la causa :***
   - si llega el caso del
   - ocasionado por el
   - con motivo del

4. ***Para hablar del lugar del suceso :***
   - estará en
   - será en
   - se quedará en

5. ***Introducir un nuevo tema :***
   - Me aprovecho de la ocasión
   - Aprovecho esta oportunidad
   - Aprovecho cualquier motivo

6. ***"Verse otra vez":***
   - vernos con frecuencia
   - volver a vernos
   - vernos a menudo

7. ***Pedir acuerdo :***
   - si te apetece a ti
   - si te gusta a ti
   - si das tu acuerdo

8. ***Proponer una cita :***
   - podría quedarme
   - podríamos quedar
   - podrías quedarte
   - podríamos quedarnos

9. ***¿A las 23h. es ...?***
   - durante la tarde
   - por la noche
   - por la tarde

Petra Pómez Pardilla
Avda. de Extremadura, nº 658
28015 MADRID

Lugo, 11 de octubre de......

(1) .... :
Te escribo porque (2) .... Madrid varios días (3) .... desfile de modelos que hacemos todos los años por estas fechas y esta vez (4) .... el Palacio de Congresos durante los días 16 y 17. Yo llegaré hacia el 12 ó 13 y estaré allí hasta el 19. (5) .... para mandarte con tiempo una invitación y para que sea una ocasión de (6) ....,claro, (7) .... ¿ Te acuerdas de aquel restaurante de la calle Florida a donde solíamos ir? Si te parece, (8) .... allí para el 14 (9) .... De todas formas, te llamo por teléfono en cuanto llegue y confirmamos.
Un abrazo,

Rodolfo

CITA FORMAL

1. ***Hacer referencia a un contacto anterior :***
   – Con la oportunidad
   – Como ya tuve la oportunidad
   – Como ya tuvo una oportunidad

2. ***"Del mes ..." :***
   – que viene
   – cercano
   – siguiente

3. ***"Dentro de poco tiempo" :***
   – en un futuro
   – uno de estos días
   – un día futuro

4. ***"... una cita" :***
   – concertar
   – resolver
   – quedar
   – hacer

5. ***Hablar de un inconveniente :***
   – Si tiene problemas
   – Si tiene un problema
   – Si le plantea algún problema

6. ***"Si no puede..." :***
   – no le viene bien
   – no le viene mal
   – no le convence

7. ***Cambiar la cita :***
   – llegaríamos tarde a la cita
   – tendríamos que adelantar la cita
   – podríamos aplazar la entrevista

8. ***Referirse a una fecha indeterminada :***
   – un día de éstos
   – cualquier otro día
   – cierto día

9. ***"No le importa" :***
   – A mí me dejaría indiferente
   – A mí me daría lo mismo
   – A mí me molestaría

10. ***Terminar esperando respuesta :***
   – En espera de novedades
   – Esperando novedades
   – En espera de sus noticias

ZAGALA S.A.
Polígono Industrial «La Morriña» Bloque nº 12 – 27072 LUGO

Sr. D. Felipe Fraga Ancia
Director General
OLORES INTENSOS S.A.
Colonia del Viso
C/ Cabrales, 14
28035 MADRID

11 de octubre de......

Estimado Sr. :
(1) .... de mencionarle por teléfono, tenemos la intención de ir a Madrid del 13 al 20 (2) .... para presentar nuestra colección a la que está cordialmente invitado (recibirá la tarjeta de invitación (3)..........................). Con motivo de este viaje, sería para mí de un gran interés informarle personalmente de la línea de perfumería que hemos lanzado en esta temporada. Si no ve ningún inconveniente, en principio podríamos (4) .... para el martes 14 en su oficina a las diez de la mañana. (5) .... o (6) .... por algún motivo, (7).................... para (8) .... de la semana en cuestión. (9) .... En ese caso, me gustaría que se lo confirmara a mi secretaria.
(10) ...., reciba un cordial saludo,

Rodolfo Hernández
Rodolfo Hernández
Director General

CITA PRIVADA

(1) **Querida Petra** :
Te escribo porque (2) **pienso quedarme en** Madrid varios días (3) **con motivo del** desfile de modelos que hacemos todos los años por estas fechas y esta vez
(4) **será en** el Palacio de Congresos durante los días 16 y 17. Yo llegaré hacia el 12 ó 13 y estaré allí hasta el 19.
(5) **Aprovecho esta oportunidad** para mandarte con tiempo una invitación y para que sea una ocasión de (6) **volver a vernos**, claro, (7) **si te apetece a ti**. ¿ Te acuerdas de aquel restaurante de la calle Florida a donde solíamos ir? Si te parece, (8) **podríamos quedar** allí para el 14 (9) **por la noche**. De todas formas, te llamo por teléfono en cuanto llegue y confirmamos.
Un abrazo,

CITA FORMAL

Estimado Sr. :
(1) **Como ya tuve la oportunidad** de mencionarle por teléfono, tenemos la intención de ir a Madrid del 13 al 20 (2) **del mes que viene** para presentar nuestra colección a la que está cordialmente invitado (recibirá la tarjeta de invitación (3) **uno de estos días**). Con motivo de este viaje, sería para mí de un gran interés informarle personalmente de la línea de perfumería que hemos lanzado en esta temporada. Si no ve ningún inconveniente, en principio podríamos (4) **concertar una cita** para el martes 14 en su oficina a las diez de la mañana. (5) **Si le plantea algún problema** o (6) **no le viene bien** por algún motivo, (7) **podríamos aplazar la entrevista** para (8) **cualquier otro día** de la semana en cuestión. (9) **A mí me daría lo mismo**. En ese caso, me gustaría que se lo confirmara a mi secretaria.
(10) **En espera de sus noticias**, reciba un cordial saludo,

¿CÓMO SE DICE?

- **Expresar intención**

Pienso	+ *verbo en infinitivo*
Tenemos la intención de	quedarme/nos
Tengo el propósito de	ir a Madrid
Intentaré	tomar contacto con él

- **Referirse a una decisión tomada**

  Quedó en hacerlo
  Quedamos en que nos veríamos a las tres

- **Para introducir un tema**

  Referencia a un contacto anterior

  Con motivo del desfile de modelos tuvimos la ocasión de conocernos
  Nos vimos con ocasión de un seminario
  Nos hemos visto en algunas ocasiones

  Hacer una propuesta

  Aprovecho esta oportunidad para...
  Aprovechando que voy a estar en... sería una buena ocasión para volvernos a ver
  Es una oportunidad para poder hablar

- **Preguntar si no hay problemas**

  Informal

  Si te apetece
  Si te va/viene bien
  Si quieres

  Formal

  Si le parece
  Si no le plantea ningún problema
  Si no le viniera bien
  Si no ve ningún inconveniente

- **Sugerir el lugar y la fecha de la cita**

  Informal

  Podríamos quedar donde siempre
  Si quieres quedamos (para) el 14 en
  ¿Por qué no quedamos por la noche?
  ¿Qué te parece si nos vemos en "La Entrevista"?

  Formal

  Podríamos concertar una cita para el martes
  Podríamos concertar una entrevista en Valladolid el 7 de julio a las 16 horas
  ¿Me podría dar hora con el doctor Silva para el martes?
  Podríamos aplazar la entrevista
  Se podría aplazar/dejar la entrevista para el día que le conviniera

- **Responder a la cita**

  Preferiría el lunes
  Es preferible vernos en otro momento
  Sería mejor que quedáramos en un lugar más céntrico
  A mí me daría lo mismo
  A nosotros nos da igual
  A mí me da/es igual
  Me vendría mejor el lunes

- **Referirse al momento o fecha**

  El mes que viene
  Hacia el 12 ó 13
  Durante los días 16 y 17
  Por la mañana, por la tarde, por la noche
  A las 10h. de la mañana
  Para cualquier otro día de la semana
  Para el viernes 13
  Para comer
  Sobre las 5h. de la tarde

¡NO OLVIDES!

–Para indicar el lugar de celebración de cualquier acto se usa **ser en** : "La reunión del 27 es en el salón 3". No hay que confundirlo con **estar en:** "El Sr. Ramírez está en el despacho 7".

– La expresión **aprovecho esta oportunidad para** indica que se pueden hacer dos cosas paralelas dadas las circunstancias. Su significado no es igual al de **aprovecharse de algo**, que significa "sacar beneficio, el máximo rendimiento".

– El verbo **volver a** + infinitivo indica la repetición de la acción .

– OJO a las diferencias entre **quedar (a una hora, en un lugar)**que equivale a "concertar una cita", y **quedarse**, que significa "permanecer en un sitio, sin salir o moverse".

– Para dirigirnos a nuestro destinatario tenemos que usar las abreviaturas de usted, **Vd./Ud.**, o ustedes, **Vds./Uds.**

¡Ahora tú!

• Querida Marisa :
No sé si sabes que tengo que ir a Salamanca el fin de semana que .... y podría .... una .... para .... a vernos. ¿ Qué te .... ? Podríamos .... el 16 .... la noche, si te ...., claro. Te llamo cuando llegue.
Un abrazo.

• Estimado amigo :
Como ya tuve .... de decirle por teléfono, tengo el .... de viajar a Málaga durante los días 25 y 26 del mes que .... Con .... de este viaje, podríamos vernos, si .... parece bien y no le .... ningún problema. Si no ve .... inconveniente, podríamos .... una cita para el día 25 a última hora de la mañana y así comeríamos juntos. Me gustaría que su secretaria me lo ....
Atentamente,

• *Tienes que aplazar una cita de negocios :*
Estimado amigo :
Lamento comunicarle que la ...... que habíamos .... para el 12 a las 5h. ...... la tarde, tendríamos que .... para otro día. Si a Vd. le .... igual, yo .... el día siguiente .... la mañana.
Le saluda atentamente,

2 PEDIR INFORMACIÓN

M. Hernández recibe la carta de una periodista que desea recibir información sobre ciertos modelos para escribir un artículo.

Ayuda a redactar la siguiente carta pidiendo información :

1. *Presentarse :*
   - Soy una periodista
   - Me dedico al periodismo
   - Ando trabajando de periodista

2. *Indicar el puesto de trabajo :*
   - me han encargado
   - estoy de encargada
   - me han dado un encargo

3. *"Siempre..." :*
   - seguí
   - había seguido
   - he seguido

4. *Expresar interés :*
   - tengo intereses
   - estoy interesada
   - me interesa

5. *Motivo de la carta :*
   - Le ruego me transmita
   - Le pido un envío
   - Ruego que transmitan

6. *"Toda la documentación" :*
   - la mejor información
   - la mayor información
   - el informe mayor
   - el informe mejor

7. *Para los "precios aproximados" :*
   - los medios de pago
   - los precios del medio
   - los precios medios

8. *Pedir un envío :*
   - Le agradecería me enviara
   - Me agradecería le enviara
   - Quiero que me mande

9. *Pedir información :*
   - me gustaría saber
   - quisiera saber
   - podría saber

El Imparcial

Manuel Azaña, 36
28040 MADRID

Sr. D. Rodolfo Hernández
Director General
ZAGALA S.A.
Polígono Industrial
«La Morriña» Bloque nº 12
27072 LUGO

Madrid, 14 de diciembre de........

Estimado Sr. :
(1) .... del periódico "El Imparcial" y (2) .... de la Sección "Ropa". (3) .... con enorme interés sus creaciones y (4) .... especialmente por los modelos de la colección otoño-invierno, ya que tengo la intención de hacer un artículo sobre las tendencias de la moda.
(5) .... (a vuelta de correo, de ser posible) (6) .... disponible sobre dichas prendas: tejidos, colores, y, siempre que pueda, respecto a (7) .... de venta al público.
(8)................ igualmente fotos de algunos modelos porque me gustaría incluirlas en mi artículo y (9) .... si Vd. me autoriza a publicarlas.
Con mi agradecimiento anticipado y en espera de su respuesta, le saluda atentamente,

C. Vázquez Sastre

Carmen Vázquez Sastre

Estimado Sr. :
(1) **Soy una periodista** del periódico "El Imparcial" y (2) **estoy de encargada** de la Sección "Ropa". (3) **Siempre he seguido** con enorme interés sus creaciones y (4) **estoy interesada** especialmente por los modelos de la colección otoño-invierno ya que tengo la intención de hacer un artículo sobre las tendencias de la moda.
(5) **Le ruego me transmita** (a vuelta de correo, de ser posible) (6) **la mayor información** disponible sobre dichas prendas: tejidos, colores, y, siempre que pueda, respecto a (7) **los precios medios** de venta al público. (8) **Le agradecería me enviara** igualmente fotos de algunos modelos porque me gustaría incluirlas en mi artículo y (9) **quisiera saber** si Vd. me autoriza a publicarlas.
Con mi agradecimiento anticipado y en espera de su respuesta, le saluda atentamente,

¿CÓMO SE DICE?

- **Expresar interés**
  Estoy interesada especialmente por...
  Tengo mucho interés en...
  Me intereso mucho por ese sector
  Como sus productos me interesan mucho...
  Dado mi interés por...

- **Pedir información**

  Introducción

  Le ruego me transmita
  Le agradecería me enviara
  Quisiera disponer de.../que me enviaran
  Quisiera por la presente pedirles

  Petición

  ...la mayor información sobre...
  ...información respecto a...
  ...cuantos detalles puedan proporcionarnos sobre...
  ... toda la información disponible sobre...

- **Especificar el contenido de la documentación**

  Introducción

  Sírvanse + { enviarnos / remitirnos }

  + { verificar / comprobar }

  Tipo de documentación

  ...un folleto explicativo
  ...una lista de precios
  ...un catálogo detallado
  ...las muestras
  ...sus condiciones de pago
  ...sus plazos de entrega
  ...las siguientes referencias

- **Pedir informes de personas, empresas**

  Introducción

  Les rogamos nos + { transmitan / remitan / envíen }

Tipo de información
...informes respecto a la persona...
...información comercial y financiera sobre la empresa...

- **Evocar una posibilidad / contar con otras posibilidades**

Siempre que + { puedan / sea posible / no les cause molestia }

De + { ser posible / no molestar }

Si + { fuera posible / pudiera / no les causa molestia / no les molesta }

- **Añadir otros elementos**

Además, desearía
Por otra parte, nos gustaría
Asimismo, quisiera que me enviaran
Aprovechando la presente para...

Pedir rapidez en la respuesta
...lo más rápido posible
...a la mayor brevedad

- **Responder a peticiones de información**

Respuesta afirmativa
Conforme a sus deseos
Tal como lo solicitaban
Nos es grato comunicarles/participarles
Tenemos el honor de remitirles

Respuesta negativa
Lamentamos/sentimos no poderles
Desgraciadamente, nos es del todo imposible
Nos vemos en la imposibilidad de...

¡NO OLVIDES!

– El verbo más conveniente para presentarse es **ser** (**soy una periodista**), frente a los verbos **estar de** o **trabajar de** (**estoy/trabajo de encargada**), que indican el puesto de trabajo temporal que se desempeña.

– OJO, a **vuelta de correo** es una demanda de respuesta rápida, nada más recibir la carta.

– Fíjate en que pedir información sobre una persona de carácter físico, académico o laboral se dice **informes** o **información**.

-La fórmula **por la presente** se usa para referirse a la carta que se está escribiendo.

¡Ahora tú!

• Señores :
.... secretaria ejecutiva y ......
...... particularmente interesada
.... sus clases de tratamiento de texto. Les ruego me .... una documentación .... dicho curso lo más completa posible (duración, contenido...) y les agradecería .... (indicar) también si .... posible seguirlos por correspondencia.
Con mi agradecimiento ....,
se .... atentamente,

• .... profesor de economía en la Universidad de La Alcarria y me .... mucho .... la economía de la apicultura en alta montaña. Le agradecería me .... documentación sobre este tema.
Le saluda atentamente,

• Estimados Sres. :
Nos permitimos escribirles ....
.... referencias ....una candidata a un puesto de secretaria.
Les agradeceríamos nos ....
toda la .... posible sobre Dª Teresa de Dios.

3 AGRADECIMIENTOS

AGRADECIMIENTO INFORMAL

El Sr. Hernández escribe a su amiga Petra para decirle lo bien que se lo ha pasado el fin de semana. El tono de la carta contrasta con la enviada al Sr. del Canto LLanos, agradeciéndole formalmente el envío del informe confidencial de un futuro cliente.

Completa con los términos adecuados las dos cartas que te presentamos : la primera, de agradecimiento por la invitación de unos amigos; la segunda, por el envío de unos informes :

1. ***¿Qué tipo de escrito acompaña a unas flores?***
   – Te dirijo estas letras
   – Te envío esta carta
   – Te mando esta tarjeta

2. ***Completa con lo adecuado :***
   – agradecerte que
   – agradecerte por
   – agradecerte por anticipado

3. ***¿Qué es lo adecuado para referirse a "esos días"?***
   – de quien guardaré
   – de quienes conservaré
   – de los que guardaré

4. ***Escoge la expresión correcta :***
   – encuentras a
   – te encuentras con
   – tienes un encuentro con

5. ***Expresar agradecimiento :***
   – agradéceles
   – dales las gracias
   – hazles gracias

6. ***"... su acogida" :***
   – de
   – por
   – para

7. ***Elige el tiempo adecuado :***
   – que ya les escribí
   – que ya les escribo
   – que ya les he escrito

8. ***Fíjate en los pronombres que hacen falta :***
   – para agradecerles
   – para agradecerlo
   – para agradecérselo

9. ***Darles ánimos para hacer algo :***
   – que decidan si vienen
   – que se animen a venir
   – si se deciden a venir

10. ***Elige la expresión adecuada :***
    – a verme
    – para verme
    – para que me vean

11. ***Despedida :***
    – Te abrazo
    – Un atento saludo
    – Besos

Petra Pómez Pardilla
Avda. de Extremadura, n° 658
28015 MADRID

Lugo, 25 de noviembre de ....

Querida Petra :
¿ Qué tal ? (1) .... con unas letras y estas flores para (2) .... me hayas dedicado esos días (3) .... siempre un recuerdo inolvidable.
Si (4) .... Paco y Lucía por casualidad, (5) .... de mi parte (6) .... tan cordial en su casa de campo y les dices (7) .... esta semana (8) .... personalmente.
Diles también (9) .... contigo (10) .... algún fin de semana.
Llámame. (11) ....

Rodolfo

AGRADECIMIENTO FORMAL

1. ***Para expresar agradecimiento :***
   – manifestarle mis gracias
   – manifestarle mi agradecimiento
   – que me agradeciera

2. ***"De forma rápida" :***
   – con tantas prisas
   – con tanta prontitud
   – de pronto

3. ***Elige la preposición adecuada :***
   – desde la que
   – de la que
   – en la que

4. ***"Exactitud, detalle" :***
   – para ser preciso
   – por su precisión
   – para su precisión

5. ***Completa con lo adecuado :***
   – para ello
   – por ellos
   – por ello

6. ***Expresar que "ese era el único motivo de la carta" :***
   – Sin nada que añadir
   – Sin otro particular
   – No veo nada de particular

7. ***Ponerse a disposición de alguien :***
   – esperando serle útil
   – usando mis capacidades
   – esperando no ser un inútil

ZAGALA S.A.
Polígono Industrial «La Morriña» Bloque n° 12 – 27072 LUGO

Sr. del Canto Llanos
DIMES Y DIRETES S.A.
C/ Gregorio I, n° 1
28028 MADRID

25 de noviembre de ...

Estimado Sr. :
Quisiera (1) .... por haber contestado (2) .... a mi carta de la semana pasada (3) .... le solicitaba informes sobre la empresa OLORES INTENSOS S.A. Estos me han sido de una gran utilidad (4) .... y le quedo, (5) ...., muy agradecido.
(6) .... y, (7) .... en cualquier ocasión, reciba mis más atentos saludos.

Rodolfo Hernández
Director General

AGRADECIMIENTO INFORMAL

Querida Petra:
¿ Qué tal ? **(1) Te mando esta tarjeta** con unas letras y estas flores para **(2) agradecerte que** me hayas dedicado esos días **(3) de los que guardaré** siempre un recuerdo inolvidable.
Si **(4) te encuentras con** Paco y Lucía por casualidad, **(5) dales las gracias** de mi parte **(6) por su acogida** tan cordial en su casa de campo y les dices **(7) que ya les he escrito** esta semana **(8) para agradecérselo** personalmente. Diles también **(9) que se animen a venir** contigo **(10) a verme** algún fin de semana.
Llámame. **(11) Besos**.

AGRADECIMIENTO FORMAL

Estimado Sr. :
Quisiera **(1) manifestarle mi agradecimiento** por haber contestado **(2) con tanta prontitud** a mi carta de la semana pasada **(3) en la que** le solicitaba informes sobre la empresa OLORES INTENSOS S.A. Estos me han sido de una gran utilidad **(4) por su precisión** y le quedo, **(5) por ello**, muy agradecido.
(6) Sin otro particular y, **(7) esperando serle útil** en cualquier ocasión, reciba mis más atentos saludos.

¿CÓMO SE DICE?

- **Agradecimiento informal**

Agradecimiento personal

Te/Os agradezco (mucho) } que } + ***verbo en subjuntivo***
- hayas enviado
- intervinieras

Te/Os agradezco (mucho) } + ***sustantivo***
- el regalo
- tu interés por mi enfermedad

(Muchas) gracias } por } + ***verbo en infinitivo***
- haberme contestado

por } + ***sustantivo***
- vuestro ramo de flores

Te/Os estoy (muy) agradecido } por } + ***verbo en infinitivo***
-prepararme ese recibimiento

por } + ***sustantivo***
-la camiseta que me enviasteis

Agradecimiento por medio de segundas personas

Les das las gracias por haberme invitado a cenar el jueves
Les dices que han sido muy amables conmigo

- **Agradecimiento formal**

Quisiera manifestarle(s) mi agradecimiento } por } + ***verbo en infinitivo***
- haber contestado

por } + ***sustantivo***
- su pronta respuesta

Quisiera expresarle(s) mi gratitud } por } + ***verbo en infinitivo***
- haber resuelto

por } + ***sustantivo***
- su informe detallado

Quisiera darles las gracias	por	+ ***verbo en infinitivo*** - recibir a nuestro cliente
	por	+ ***sustantivo*** - su acogida
Le estoy muy agradecido	por	+ ***verbo en infinitivo*** - haber acompañado a...
	por	+ ***sustantivo*** - su intervención
Le quedo muy agradecido	por	+ ***verbo en infinitivo*** - organizar la feria
	por	+ ***sustantivo*** - ello (eso)
Ha(n) sido usted(es) muy amable(s)	al	+ ***verbo en infinitivo*** -invitarme a su fiesta
Le(s) agradezco		+ ***verbo en subjuntivo*** - me haya(n) informado de ... + ***sustantivo*** - su cordial bienvenida

- **Dar las gracias**

  Informal

  Te/Os lo agradezco mucho
  Dile/-s que se lo agradezco
  Dale/-s las gracias de mi parte

  Formal

  Han sido Vds. muy amables
  Se lo agradecemos mucho

- **Expresar agradecimiento de forma más viva/intensa**

  No sabes cómo (cuánto) te lo agradezco
  Te lo agradezco en el alma
  No sabe lo agradecido que le estoy por sus atenciones

- **Agradecer una acción futura**

  Agradeciéndoselo por anticipado
  Le(s) damos las gracias de antemano

¡NO OLVIDES!

– No tienes que confundir **una carta** con **una tarjeta** (de visita, de invitación, etc., en general son más breves y en papel cartón, más fuerte) y **una postal** (que se puede enviar sin sobre).

– Las formas verbales como **hicieras** se refieren a un pasado marcado por expresiones como **la semana pasada, el mes pasado.** La forma **haya hecho** se usa para agradecer el hecho en relación con el presente. Ejemplos:
- Le agradezco que viniera a recogerme.
- Le agradezco que haya venido a recogerme.

– Las expresiones **le quedo muy agradecido** y **le estoy muy agradecido** son equivalentes..

– El verbo **decir** puede construirse con :
+ **que + indicativo** = transmite una información
+que + subjuntivo = transmite una petición.

¡Ahora tú!

• Querido José :
Sólo unas .... para ....
que me .... mandado tan pronto los documentos que te pedí.
.... también las
.... de mi parte a tu profesor .... haberte ayudado a encontrarlos. Ya .... escribiré yo para .... personalmente.
Un abrazo.

• Estimados Sres. :
Quisiera .... mi agradecimiento .... su intervención en el caso CONPRISA.
No saben cómo .... lo
.... a todos Vds.
Ésta intervención ha sido .... mí de una gran utilidad y espero que yo
.... serles útil en .... otra ocasión.
Se despide atentamente,

• ¡ Muchas .... a ti y ....
tus padres .... el maravilloso regalo que me habéis hecho ! Ya
.... escribiré yo a ellos para
.... personalmente.

4 DISCULPARSE

Completa la siguiente carta de disculpa formal con los términos que creas adecuados :

El Sr. Fraga Ancia no pudo asistir a una cita prevista ni cancelarla con antelación por negocios urgentes.

1. ***Elige el término correcto :***
   - disculpas
   - culpas
   - perdones

2. ***"No haber asistido a una cita" :***
   - haber fallado en
   - haber faltado a
   - haber perdido

3. ***"Desde..." :***
   - aquel tiempo
   - tiempos
   - hace tiempo

4. ***Introducir una justificación, la causa :***
   - es que
   - estamos en que
   - quedamos en que

5. ***"Siento" :***
   - lamento
   - echo de menos
   - le compadezco
   - le tengo lástima

6. ***Elige la expresión correcta:***
   - al no haberle visto
   - que no nos hayamos visto
   - que no estemos bien vistos

7. ***Justificarse :***
   - no tengo las disculpas
   - no ha sido culpa mía
   - no es una falta

8. ***Intensificar la disculpa, la aflicción :***
   - como siento
   - lo que siento
   - cuánto lo siento

OLORES INTENSOS S.A.

Colonia del Viso
Cabrales, 14 – 28035 MADRID

Sr. D. Rodolfo Hernández
ZAGALA S.A.
Polígono Industrial
«La Morriña» Bloque nº 12
27072 LUGO

París, 20 de noviembre de......

Estimado Sr. Hernández :
Le escribo desde París, adonde he tenido que trasladarme rápidamente, para pedirle (1) .... por (2) .... la cita del martes pasado que teníamos prevista en Madrid (3) .... Pero (4) .... el avión tuvo una avería y fue desviado hacia Alicante y, desde entonces, he estado muy ocupado por negocios urgentes.
Puede creerme que (5) .... mucho (6) .... en Madrid, pero puedo asegurarle que (7) .... No sabe (8) .... Espero que podremos volver a vernos en breve plazo.
Le saluda atentamente,

Felipe Fraga Ancia
Director General

Estimado Sr. Hernández :
Le escribo desde París, adonde he tenido que trasladarme rápidamente, para pedirle **(1) disculpas** por **(2) haber faltado a** la cita del martes pasado que teníamos prevista en Madrid **(3) desde hace tiempo**. Pero **(4) es que** el avión tuvo una avería y fue desviado hacia Alicante y, desde entonces, he estado muy ocupado por negocios urgentes.
Puede creerme que **(5) lamento** mucho **(6) que no nos hayamos visto** en Madrid, pero puedo asegurarle que
(7) no ha sido culpa mía. No sabe **(8) cuánto lo siento**.
Espero que podremos volver a vernos en breve plazo.
Le saluda atentamente,

¿CÓMO SE DICE?

- **Disculparse**

Le pido que me disculpe / Disculpe } por } + ***verbo en infinitivo***
- haber faltado a la cita

Perdone } que } + ***verbo en subjuntivo***
- no asista mañana...

- **Manifestar aflicción, pesar**

Expresión aislada

Lo siento/lamento
No sabe cómo (cuánto) lo siento/lamento

Con la causa de la aflicción

Lamento que no nos hayamos visto
Siento no poder venir

- **Justificarse, expresar la causa**

Es que he tenido problemas
No ha sido culpa mía

¡NO OLVIDES!

– Lo más conveniente para disculparse es usar la expresión **pedir disculpas**. La palabra **excusa** se usa en la expresión **presentar mis excusas.**

– No hay que olvidar el uso de **por** que introduce la causa de una acción (**disculpas por**); en tanto que **para** indica una finalidad ("**trasladarme para**").

– Fíjate en que **tener que + infinitivo** se usa para marcar obligatoriedad.

– No confundas **lamentar**, **sentir**, con **echar de menos**, "tener nostalgia, faltar" ni con **compadecer**, "apiadarse de alguien".

– Fíjate en que **esperar que** va seguido de subjuntivo (espero que **podamos vernos**).

¡Ahora tú!

• Quisiera disculparme .... haber .... ayer a la reunión que .... fijada desde .... tiempo, pero .... que tuve que salir rápidamente de Madrid .... solucionar un negocio urgente.

• Lamento que no .... (recibir) todavía los documentos que te había prometido. No sabes .... lo siento, pero no es .... mía. Te puedo asegurar que ya los he mandado y espero que los .... (tener) pronto.

• Quisiera presentarle todas mis .... por el desagradable incidente del otro día. La verdad .... que no fue la .... de nadie, pero .... mucho lo que pasó.

• Querida Luisa :
Perdona que el otro día no (poder) .... asistir a tu fiesta, pero .... que tuve un problema en el último momento. .... siento mucho.

5 OFERTAS COMERCIALES

El Sr. Hernández recibe la oferta comercial de una empresa dedicada a la informática aplicada al sector textil.

Ayuda a redactar la siguiente carta para presentar un nuevo producto :

1. ***Presentar la oferta :***
   - ¡ A finales, el programa que le hace falta... !
   - ¡ Por fin, el programa que necesita... !
   - ¡ El final del programa que quiere... !

2. ***"... la multitud" :***
   - Relacionado con
   - Frente a
   - Confrontados a

3. ***"Soluciones que no son válidas" :***
   - totalmente inadecuadas
   - totalmente ineptas
   - completamente adelantadas

4. ***"No hay otros que puedan hacer lo mismo" :***
   - son los únicos capaces
   - son unos cuantos capaces
   - son uno de tantos capaces
   - son uno entre otros muchos capaces

5. ***"Tenemos, trabajamos con" :***
   - contamos con
   - damos por descontado
   - hacemos descuentos a

6. ***La expresión adecuada es :***
   - no tenga miedo en
   - sea valiente para
   - no dude en

7. ***Expresar la disponibilidad de una persona:***
- le atenderá
- estará ocupada
- le ocupará
- le encontrará ocupación

TEJE MANEJE
Orense, 258 – 28020 MADRID
Tfno.: (91) 265 44 28
Fax: (91) 265 40 75

Madrid, 12 de enero de........

(1) .... el sector textil !

A la atención del Sr. ....

Estimado Sr. :

(2) .... de soluciones informáticas (3) .... al sector textil, los programas concebidos por *Teje-Maneje* (4) .... de realizar todo tipo de dibujos, colores y tramas.

No sólo (5) .... un equipo de ingenieros altamente cualificados, sino que nuestro volumen de ventas, realizado con empresas como Fiorelli S.A. y Dupont&Dupont, demuestra nuestra ya larga experiencia en el campo internacional. Disponemos, por otra parte, de un completo servicio técnico y de formación.

Nos complace adjuntarle en anexo las posibilidades de nuestros sistemas y (6) .... consultarnos por teléfono a nuestra sede madrileña, en donde la Srta. Hermosilla (7) .... gustosamente.

En espera de sus gratas noticias, reciba un cordial saludo,

Domingo Feo

Domingo Feo
Director Comercial

(1) **¡ Por fin, el programa que necesita** el sector textil !
A la atención del Sr. ....
Estimado Sr. :
(2) **Frente a la multitud** de soluciones informáticas (3) **totalmente inadecuadas** al sector textil, los programas concebidos por *Teje-Maneje* (4) **son los únicos capaces** de realizar todo tipo de dibujos, colores y tramas.
No sólo (5) **contamos con** un equipo de ingenieros altamente cualificados, sino que nuestro volumen de ventas, realizado con empresas como Fiorelli S.A. y Dupont&Dupont, demuestra nuestra ya larga experiencia en el campo internacional.
Disponemos, por otra parte, de un completo servicio técnico y de formación.
Nos complace adjuntarle en anexo las posibilidades de nuestros sistemas y (6) **no dude en** consultarnos por teléfono a nuestra sede madrileña, en donde la Srta. Hermosilla (7) **le atenderá** gustosamente.
En espera de sus gratas noticias, reciba un cordial saludo,

¿CÓMO SE DICE?

- **Anunciar un suceso esperado**
  - Por fin/Al fin
  - Menos mal que
  - Al final

- **Introducir una oferta**
  - *Presentación*
    - Tenemos el gusto de ofrecerle
    - Podemos proponerle

Animar al cliente

No desaproveche esta ocasión
No pierda esta oportunidad
Aproveche esta oferta especial

- **Exponer las condiciones de la oferta**

Las condiciones de esta oferta especial
La oferta es válida hasta el 12 marzo de este año
Podemos ofrecerle las mayores facilidades de pago
Le podemos suministrar inmediatamente el producto que necesite

- **Adjuntar documentación**

Nos es grato incluirle un muestrario de nuestros productos
Podrá encontrar todas las características técnicas en el folleto que le enviamos
Le adjuntamos una lista de precios

- **Presentar el producto frente a la competencia**

Frente a la multitud
Con relación al mercado
En relación con la oferta actual
Al contrario de sus soluciones
Si compara con cualquier otro producto de la competencia
La oferta más ventajosa de toda la competencia

- **Calidad de los servicios propuestos**

No sólo... sino que (también, además)
La robustez y fiabilidad de nuestros productos
El montaje es de una gran sencillez
Respetamos todas las condiciones de seguridad
Todos los aparatos cumplen las normas vigentes

- **Periodos de prueba y comprobación del producto**

  Podemos hacerle una demostración gratuita
  Pueden quedárselo a prueba durante una semana
  Podrá apreciar la calidad de nuestro servicio, único en su género

- **Ofrecer garantías**

  Nos comprometemos a realizar
  Nos comprometemos incondicionalmente
  Le aseguramos un completo servicio de posventa
  Garantizamos el producto durante un año
  Le ofrecemos todo tipo de soluciones adaptables a cada caso
  Estamos en condiciones de ayudarle
  Con la preocupación constante de...
  Estamos seguros de que quedará satisfecho

¡NO OLVIDES!

- Fíjate en las preposiciones con que se construyen los siguientes verbos
- **contar con**
- **dudar en**
- **no dudar en**

– El verbo **necesitar** no lleva preposición: "Necesitamos 7 cajas de...".

– Los siguientes términos puedes sustituirlos unos por otros: **volumen de ventas, las ventas, la facturación** o **el volumen de negocios.**

- ¡OJO con los falsos amigos! **Atender a alguien** significa **ocuparse de alguien** , pero el sustantivo **una ocupación** significa **un trabajo, un empleo.**

- **A finales de mes = a final de mes.**

- No confundas las siguientes expresiones:
-**unos cuantos** = algunos
-**uno de/entre tantos** = uno cualquiera.

¡Ahora tú!

• .... Sr. ...... :
¡ Le ofrecemos la máquina revolucionaria que Vd. .... para su empresa !
.... los problemas cotidianos que, sin duda, conoce su industria, esta máquina es actualmente .... única del mercado .... de solucionarlos.
¡ No.................... esta oportunidad y no .... en consultarnos !

• Estimado cliente :
Tenemos el gusto de ....
la oferta siguiente, sólo ....
durante este mes. Por eso, ¡ no lo .... más y ....
esta oportunidad única ! Para más informaciones, ... nuestro catálogo llamándonos a nuestra .... social.

• Estimado Sr. Roca :
Nos complace .... las últimas .... de material auxiliar para sus productos. Como de costumbre, le aseguramos un completo servicio de .... y el material está .... durante un año.

6 PEDIR UN PRESUPUESTO

Las Aerolíneas Al-Andalus buscan vestuario nuevo para su personal auxiliar de vuelo. Con este motivo piden un presupuesto a la firma Zagala, S.A.

Con los elementos que tienes a continuación completa la carta :

1. ***Anunciar la apertura de un concurso :***
   – es nuestra intención concursar
   – es nuestra intención abrir un concurso
   – queremos hacer una oferta

2. ***"Con la intención de" :***
   – a la vista de
   – con vistas a
   – con la vista puesta en

3. ***Pedir un envío :***
   – con este propósito, nos enviaran
   – con esa proposición que enviamos
   – con el fin de que les enviáramos

4. ***Elige la expresión adecuada :***
   – una estimación detallista
   – algún detalle
   – un presupuesto detallado
   – una evaluación presupuestaria
   – un detalle en el presupuesto

5. ***"Condiciones expresadas por escrito" :***
   – el pliego de condiciones
   – las condiciones impuestas
   – las exigencias

6. ***"Añadir fuera del cuerpo de la carta" :***
   – les adjuntamos accesoriamente
   – que les adjuntamos en anexo
   – que los anexionamos

7. ***Exigir que se sigan las indicaciones :***
   – al que habrán de atenerse rigurosamente
   – que debe tener estrechamente

8. ***Expresar agradecimiento :***
– Con nuestro agradecimiento anticipado
– Con mis gracias por delante
– Le adelanto mi agradecimiento

AL-ANDALUS
C/ Corte de los Milagros s/n
41001 SEVILLA

Zagala S.A.
Polígono Industrial
«La Morriña» Bloque n° 12
27072 LUGO

13 de febrero de ....

Estimados Sres. :
Quisiéramos comunicarles por la presente que (1) .... restringido (2) .... equipar en nuevo vestuario a las azafatas de nuestras líneas aéreas autonómicas.
Les agradeceríamos que a la mayor brevedad posible y, (3) .... a nuestra sede central (Subdirección de Vestuario y Detalles) por correo certificado (4) .... del material que aparece especificado en Anexo n° 1 y según (5) .... generales (6) .... (Anexo n° 2) y (7) ....
(8) .... y en espera de su respuesta, les saluda atentamente,

Pedro Martinete
Director General

Anexos :
Anexo n° 1 : Pliego técnico de condiciones
Anexo n° 2 : Pliego general de condiciones

Estimados Sres. :

Quisiéramos comunicarles por la presente que **(1) es nuestra intención abrir un concurso** restringido **(2) con vistas a** equipar en nuevo vestuario a las azafatas de nuestras líneas aéreas autonómicas.

Les agradeceríamos que a la mayor brevedad posible y, **(3) con este propósito, nos enviaran** a nuestra sede central (Subdirección de Vestuario y Detalles) por correo certificado **(4) un presupuesto detallado** del material que aparece especificado en Anexo nº 1 y según **(5) el pliego de condiciones** generales
(6) que les adjuntamos en anexo (Anexo nº 2) y
(7) al que habrán de atenerse rigurosamente.
(8) Con nuestro agradecimiento anticipado y en espera de su respuesta, les saluda atentamente,

Anexos :
Anexo nº 1 : Pliego técnico de condiciones
Anexo nº 2 : Pliego general de condiciones

¿CÓMO SE DICE?

- **Manifestar la intención**
  Nuestro propósito/nuestra intención es...
  Tenemos la intención/el propósito de...
  Estamos empeñados en ...
  Estamos decididos a ...

  Otra forma de introducir la intención*
  Con el propósito de...
  Con el fin/la finalidad de ...

Con vistas a...
A fin de que...
A efectos de...

A fin de que puedan entregarnos el presupuesto antes de...
Lo hacemos con vistas a una relación comercial más intensa y efectiva
Les remitimos esta propuesta a efectos de entablar negociaciones

* *Estas expresiones varían en el orden de la frase según la intención del hablante.*

- **Pedir rapidez**

  A la mayor brevedad posible
  Lo más pronto posible
  Le ruego nos envíe lo antes posible
  Les rogamos nos despachen cuanto antes

- **Especificar la forma de envío**

  Mandar por correo
  Dejarlo en Correos/en una oficina de Correos
  Deberá mandarlo por carta certificada/por correo certificado
  El paquete va certificado con acuse de recibo
  Deberá enviarlo...
  ...por avión
  ...por mensajero
  ...urgente
  El plazo máximo de entrega será de...
  Se despacharán las mercancías desde almacén

- **Hablar de precios**

  Los precios que les cotizamos son neto sin IVA
  Precio neto
  Precio bruto
  Nuestros precios están sujetos a las fluctuaciones del mercado internacional

En caso de pago al contado, podemos concederle una rebaja especial del 5%
El tipo de descuento varía dependiendo de las cantidades suministradas

- **El presupuesto tiene que ajustarse a determinadas características**

Se atenderá a las siguientes condiciones...
Cumplirá las siguientes condiciones...
... a las que habrán de atenerse rigurosamente
Un presupuesto detallado según se especifica en el anexo 1
El presupuesto deberá incluir las siguientes partidas
Tiene que ajustarse a la calidad especificada...
Sería preferible que nos enviaran una muestra de color junto al presupuesto
Deberá indicarnos el plazo mínimo de fabricación así como de envío
Deberán hacer constar los plazos de fabricación y de envío

- **Expresar agradecimiento**

Con nuestro agradecimiento anticipado
Agradeciéndoselo por anticipado
Le damos las gracias de antemano

¡NO OLVIDES!

– Observa que la forma de subjuntivo **quisiéramos** puede ser reemplazada por la forma del condicional **querríamos**.

– Fíjate en que **nuestra intención/nuestro propósito es...** nunca van seguidos de presposición.

– Las formas de los verbos como **agradeceríamos, quisiéramos, rogaríamos**... sirven para introducir la demanda/petición que se formula. El segundo verbo aparece en subjuntivo (**envíen, transmitieran**).

– En el español de América latina **adjuntar en anexo** puede ser reemplazado por **anexar**.

– La expresión **en espera de** se emplea siempre sin artículo.

¡Ahora tú!

• Quisiera participarles que .... la intención de amueblar nuestras oficinas de Madrid y con este .... les agradecería nos .... (dirigir) un .... detallado de material de mobiliario en las mejores condiciones.
Con nuestro .... anticipado y en .... de sus ...., se despide atentamente,

• Les rogamos .... (cotizar) precios del material que .... en anexo en las mejores condiciones indicándonos el .... mínimo de fabricación. Su oferta deberá llegarnos lo .... posible, por carta .... y por duplicado dada la urgencia de nuestra cartera de pedidos.

• Estimado Sr. :
.... (servir) enviarme el .... detallado de una instalación completa de calefacción .... el plano que le .... El presupuesto .... comprender las siguientes .... : coste de materiales y mano de obra y .... (ir) acompañado de una factura *pro forma.*

7 HACER UN INFORME

Completa el fax con los elementos que le faltan. El Sr. Lazarrón ha tenido un viaje de negocios bastante movido y tendrán que hacer planes nuevos :

Uno de los distribuidores de Zagala, S.A. manda desde Sevilla un informe con los acontecimientos que le han impedido cumplir con los planes previstos. En el fax pide nuevas instrucciones...

1. ***La acción se ha realizado en ese preciso instante :***
   - terminamos de llegar
   - acabamos de llegar
   - acabamos por llegar

2. ***Expresar duración en el pasado :***
   - Estamos esperando dos días de noticias
   - Seguimos esperando dos días más tus noticias
   - Llevamos esperando dos días tus noticias

3. ***Una acción pasada que se relaciona con el presente :***
   - hemos podido
   - pudimos
   - habíamos podido
   - podemos

4. ***"En el momento de entrar":***
   - en cuanto a entrar
   - más que nada entrar
   - en cuanto entramos
   - desde que entramos

5. ***Una acción que se sitúa en un momento del pasado : "Anoche nos..."***
   - damos cuenta de
   - dimos cuenta de
   - hemos dado cuenta de
   - habíamos dado cuenta de

6. ***Hacer una descripción en pasado :***
   - la gente corría y estaban llenos los pasillos
   - la gente corrió y estuvieron llenos los pasillos
   - la gente ha corrido y han estado llenos los pasillos

7. ***Introducir una acción anterior a otra pasada :***
   – Hubo
   – Había habido
   – Había

8. ***"Ya prevista" :***
   – resultó prevista
   – teníamos prevista
   – quedó prevista

****Hotel Alfonso XI
Sepúlveda, 500 – 41005 SEVILLA
Tfno : (95) 448 19 92 – Fax : (95) 448 14 92

Fax de : J. Lazarrón
para : Rodolfo Hernández
Sevilla, 20 de marzo de ......

Te mando este fax para decirte que (1) .... hoy a las tres de la tarde, a Sevilla. (2) .... y no (3) .... contactar con nadie. Anoche, (4) .... en el aeropuerto, nos (5) .... que pasaba algo raro : (6) .... Habían suprimido todos los vuelos porque se había declarado una huelga sorpresa de controladores aéreos. Entonces, anulamos los billetes y nos fuimos a la estación, donde logramos coger un tren de noche. Pero en pleno campo el tren se paró. (7) .... un atentado y no podíamos continuar hasta que acabaran de arreglar las vías. Fue imposible llegar a la cita que (8) .... a las once con Pedro Martinete. Además, nos han dicho que aquí no suelen abrir por las tardes. Así que no sabemos qué hacer. Contéstanos rápido al número de fax del hotel. ¿ Nos quedamos y anulamos las otras citas o seguimos ?

Sevilla, 20 de marzo de ......
Te mandamos este fax para decirte que **(1) acabamos de llegar**, hoy a las tres de la tarde, a Sevilla. **(2) Llevamos esperando dos días tus noticias** y no **(3) hemos podido** contactar con nadie. Anoche, **(4) en cuanto entramos** en el aeropuerto, nos **(5) dimos cuenta de** que pasaba algo raro : **(6) la gente corría** y **estaban llenos los pasillos**. Habían suprimido todos los vuelos porque se había declarado una huelga sorpresa de controladores aéreos. Entonces, anulamos los billetes y nos fuimos a la estación, donde logramos coger un tren de noche. Pero en pleno campo el tren se paró. **(7) Había habido** un atentado y no podíamos continuar hasta que acabaran de arreglar las vías. Fue imposible llegar a la cita que **(8) teníamos prevista** a las once con Pedro Martinete. Además, nos han dicho que aquí no suelen abrir por las tardes. Así que no sabemos qué hacer. Contéstanos rápido al número de fax del hotel.¿ Nos quedamos y anulamos las otras citas o seguimos ?

¿CÓMO SE DICE?

- **Expresar duración y continuidad desde el pasado**
  Llevamos esperando dos días
  Seguimos preocupados
  Seguimos sin tener noticias
  Llevo un mes sin noticias tuyas
  Hace una semana que te esperamos
  Te esperamos desde hace...

- **Situar una acción en el pasado**
  Anoche nos dimos cuenta
  Anteayer no pudimos entrar

Antes de que cancelaran/antes de cancelar
Después de que llegaron
El viernes por la tarde fue cuando...

- **Para indicar una acción inmediata en el pasado**
  Tan pronto como entramos
  Nada más entrar
  En cuanto llegamos a la estación
  Acabábamos de salir cuando...

¡NO OLVIDES!

– Para los marcadores de tiempo como **hoy, este mes, este año, esta semana, ahora...**, es necesario emplear el pretérito perfecto (**hemos podido**),por su relación con el presente.

– Para **anoche, el mes (año) pasado, ayer**, ...se emplean el pretérito indefinido: **dimos, nos fuimos, pudimos.**

– Para describir el contexto de una acción que ocurrió en el pasado se usa el pretérito imperfecto.

– **Tener + participio** es una construcción análoga a **haber + participio, aunque más concreta : Teníamos previsto ir a la reunión** es una acción que insiste en el resultado.

¡Ahora tú!

- Luisa : anoche .... (estar llamando) varias veces y no .... (contestar) nadie. Esta mañana .... (volver a llamar) y tu teléfono .... (seguir) sin contestar. Por eso, estoy muy preocupado. .... que, ponte en contacto conmigo cuanto antes.

- Querida Ana : .... ya una semana sin tener noticias tuyas. El otro día te .... (esperar) a la salida y no .... (venir). No sé qué pensar.

8 RESERVAR, ALQUILAR

Como todos los años, Rodolfo Hernández necesita un salón y dos habitaciones para celebrar el encuentro anual de distribuidores de Zagala. Las reservas las hace por carta.

Ayuda a redactar la carta al Sr. Hernández para hacer unas reservas de hotel y pedir ciertos servicios suplementarios :

1. ***Para introducir la reserva :***
   - Les pido reserven
   - Les ruego reserven
   - Les pido reservar

2. ***"Habitación para una persona" :***
   - habitaciones sencillas
   - habitaciones simples
   - simples habitaciones

3. ***"Para el Sr. Hernández" :***
   - con el nombre del Sr. Hernández
   - a nombre del Sr. Hernández
   - para el Sr. Hernández

4. ***"Que se vea el mar" :***
   - con vistas al
   - con vistas sobre
   - con vistas hacia
   - a vistas del

5. ***"Que tenga, que conste de..." :***
   - equipada con
   - con un equipamiento de
   - acondicionada con

6. ***Elige la expresión adecuada :***
   - Querría saber
   - Quiero saber
   - Necesitaría saber

7. ***Solicitar algo :***
   - les agradezco me envíen
   - gracias por enviarme
   - agradecido que me envíen
   - les agradece que os envíe

8. ***"En poco tiempo, de forma rápida" :***
   - a la mayor brevedad posible
   - en el plazo más corto
   - con una gran rapidez

ZAGALA S.A.
Polígono Industrial «La Morriña» Bloque n° 12 – 27072 LUGO
Tfno.: (982) 31 70 47 Fax: (982) 33 40 75

Hotel Mucha Vista
Paseo Marítimo, 25
36600 CAMBADOS
(Pontevedra)

27 de marzo de...

Estimados Sres.:
(1) .... diez (2) .... con baño, del 12 de mayo próximo al 13 inclusive, (3) .... de la empresa Zagala S.A. Una de ellas deberá ser exterior, (4) .... mar si fuera posible, y estar (5) .... TV y un vídeo.
(6) .... igualmente si el pequeño salón "Rías Baixas", que ya hemos utilizado en otras ocasiones, estará libre en las fechas indicadas para realizar un seminario de ventas.
En caso de que tanto las habitaciones como el salón estén disponibles en dichas fechas, (7) .... confirmación (8) .... por teléfono o fax a los números mencionados más arriba. Asimismo, les agradecería me comunicaran la lista de precios de las habitaciones (con y sin pensión completa) y del alquiler del salón sin ningún servicio adicional para poder ultimar con Vds. todos los detalles.
Les saluda muy atentamente,

Rodolfo Hernández

Rodolfo Hernández
Director General

Estimados Sres. :
(1) Les ruego reserven diez **(2) habitaciones sencillas** con baño, del 12 de mayo próximo al 13 inclusive, **(3) a nombre del Sr. Hernández** de la empresa Zagala S.A. Una de ellas deberá ser exterior, **(4) con vistas al** mar si fuera posible, y estar **(5) equipada con** TV y un vídeo. **(6) Necesitaría saber** igualmente si el pequeño salón "Rías Baixas", que ya hemos utilizado en otras ocasiones, estará libre en las fechas indicadas para realizar un seminario de ventas.
En caso de que tanto las habitaciones como el salón estén disponibles en dichas fechas, **(7) les agradezco me envíen** confirmación **(8) a la mayor brevedad posible** por teléfono o fax a los números mencionados más arriba. Asimismo, les agradecería me comunicaran la lista de precios de las habitaciones (con y sin pensión completa) y del alquiler del salón sin ningún servicio adicional para poder ultimar con Vds. todos los detalles.
Les saluda muy atentamente,

¿CÓMO SE DICE?

- **Hacer reservas. Alquilar**

Hacer reservas

Les ruego reserven una mesa para seis
Quisiera reservar una habitación sencilla/doble/una suite/con una cama suplementaria
Les ruego me reserven el apartamento 5B para el mes de agosto

Alquileres

Quisiera alquilar la casa para la última semana de julio
Se alquila chalé
Se alquilan coches
El alquiler del vehículo
El alquiler del apartamento

- **Indicar la fecha**

De la reserva

Para el fin de semana próximo
Para finales/principios del mes que viene
Para el día/los días...
Para la noche del...

De la llegada

Llegaremos pasado mañana por la noche
Los Sres. Pancho y Villa llegarán el lunes y se irán al día siguiente por la mañana
El jueves por la tarde

- **Hablar de la duración de una reserva o un alquiler**

Desde el uno de septiembre hasta el quince, ambos inclusive
Del viernes al domingo inclusive
Del 5 al 10 de julio

- **Expresar necesidad**

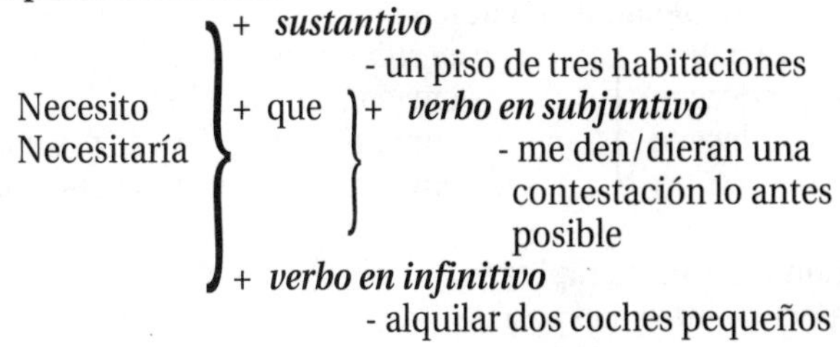

No hace falta que
No es necesario que
+ *verbo en subjuntivo*
- reservemos tan pronto

- **Hablar de las condiciones**

  Las habitaciones deberán estar disponibles para...
  El salón ha de estar equipado con un vídeo
  Todo tiene que estar preparado para el viernes

  Es preciso que / Es imprescindible que } + ***verbo en subjuntivo***
  -el coche esté disponible a la llegada del tren de las ocho
  -alquiles un coche

- **Hacer hipótesis**

  Hipótesis sobre el futuro

  Si / En caso de que } + ***verbo en subjuntivo***
  - fuera posible
  - las habitaciones estuvieran disponibles

  Otros ejemplos:

  Si pudieras reservar por teléfono, sería la mejor solución
  En caso de que no tuvieran habitaciones sencillas, reserva habitaciones dobles

  Hipótesis sobre el presente

  Si } + ***verbo en presente de indicativo***
  - Si todo está ocupado, comuníquemelo rápidamente
  - Si no hay habitaciones libres, que nos recomienden otro hotel de características semejantes

- **Expresar amablemente un deseo**

  Quisiera que / Les agradezco / Les agradecería } + ***verbo en subjuntivo***
  - me envíen confirmación
  - me comunicaran la lista de precios
  - me enviaran información detallada

- **Pedir una respuesta rápida**

  A la mayor brevedad posible
  Lo antes/más rápido posible
  El lunes a lo más tardar
  Cuanto antes

¡Ahora tú!

• Estimados Sres. :
... reserven una habitación doble... nombre de Mario Rubio del 26 al 30 del corriente, ambos ...
La habitación...... (deber) ser exterior y... vistas... mar.
... agradecería me... confirmación al n° de teléfono 123 45 67.
Les saluda atentamente,

•... reservar un coche "Clase superior" en el aeropuerto de Málaga para... jueves 26 de... a la llegada del vuelo de París de las 19 horas. Les agradezco me... (confirmar) la reserva al n° de teléfono siguiente. El coche................ con aire acondicionado y ser preferiblemente de color rojo.
Les ruego... (enviar) tarifas para un... de cuatro días con kilometraje ilimitado.

• El motivo de la presente es para hacer una... del apartamento 1125 de Torre Enjambre. El.......... sería la semana del 12 al 18 de abril,... inclusive. En caso de que... ocupado, ¿ sería posible... para dicha semana el n° 1732 del mismo edificio ?
Si uno de ellos .... disponible para las fechas indicadas, les rogaría me... confirmación a la... brevedad posible.

¡NO OLVIDES!

– Observa que el presente de **rogar** es **ruego**. Normalmente va seguido de **que** y de subjuntivo. En la correspondencia comercial **que** se suprime : **les ruego (que) reserven.**

– La palabra **inclusive** es invariable. Puede aparecer precedida de **ambos/-as** para indicar que son dos los elementos que se incluyen.

– Para indicar obligación se usan **haber de, tener que** y **deber**, seguidos de infinitivo: "habrá que reservar dos habitaciones". Hay expresiones que tienen el mismo significado **es preciso (necesario, imprescindible) que...**, seguidas de subjuntivo: "es preciso que alquilemos el piso".

– Fíjate bien en las formas del verbo **agradecer :**
-en presente **: Les agradezco me envíen,** con el verbo subordinado en presente de subjuntivo.
- en condicional **: Les agradecería me comunicaran,** con el verbo en imperfecto de subjuntivo.

9 CONFIRMAR UNA RESERVA

Completa la carta con los elementos correspondientes :

El hotel Mucha Vista dispone de habitaciones libres y del salón que el Sr. Hernández les ha solicitado. Le escriben para confirmarle la reserva.

1. ***Acuse de recibo :***
   - Gracias a
   - Contesto a
   - En respuesta a
   - Respondo de

2. ***Fórmula para comunicar una respuesta afirmativa :***
   - nos gusta
   - nos da placer
   - nos es grato

3. ***"De acuerdo con lo indicado" :***
   - conforme a su instrucción
   - estamos conformes con sus instrucciones
   - conforme a sus instrucciones

4. ***Expresar seguridad, certidumbre :***
   - estamos seguros de que
   - es un seguro de que
   - les aseguramos que
   - estamos asegurados para que

5. ***"En lo que se refiere a" :***
   - En referencia a
   - En cuanto a
   - Cuantos que

6. ***Elige el verbo adecuado :***
   - que nos preguntan
   - que nos demandan
   - que nos piden

7. ***¿Qué expresión se usa?***
   - Junto con
   - Le junto con
   - Le adjuntamos

8. ***"Según los meses del año" :***
   - según temporada
   - según la estación

9. ***"Los precios por día" :***
   - la importancia de cada día
   - el importe diario
   - el coste de poca monta

10. ***Elige la palabra adecuada :***
    - inquilino
    - alquiler

Mucha Vista
***** **hotel**
Paseo Marítimo,25
36600 CAMBADOS (Pontevedra)

Sr. D. Rodolfo Hernández
Zagala S. A.
Polígono Industrial
«La Morriña» Bloque nº 12
27072 LUGO

2 de abril de...

Estimado Sr. :
(1) .... su atenta del 27 de marzo,
(2) .... comunicarle que, (3) ...., hemos reservado a nombre de su empresa diez habitaciones para el 12 y 13 del mes que viene y (4) .... quedarán plenamente satisfechos de su estancia en nuestro establecimiento.
(5) .... la reserva (6) .... del Salón "Rías Baixas", podemos decirle que se encuentra a su disposición para las fechas indicadas.
(7) ...., por otra parte, tal como lo indica en su carta, un folleto con la lista de precios del hotel (8) ...., así como (9) .... del (10) .... del Salón sin servicios adicionales. Naturalmente, el coste total depende de éstos y, a modo indicativo, le incluyo algunos precios. No dude en consultarnos para cualquier información complementaria.
Atentamente,

Severino Conde

Severino Conde
Director

Estimado Sr. :

(1) **En respuesta a** su atenta del 27 de marzo, (2) **nos es grato** comunicarle que, (3) **conforme a sus instrucciones**, hemos reservado a nombre de su empresa diez habitaciones para el 12 y 13 del mes que viene y (4) **estamos seguros de que** quedarán plenamente satisfechos de su estancia en nuestro establecimiento.

(5) **En cuanto a** la reserva (6) **que nos piden** del Salón "Rías Baixas", podemos decirle que se encuentra a su disposición para las fechas indicadas.

(7) **Le adjuntamos**, por otra parte, tal como lo indica en su carta, un folleto con la lista de precios del hotel (8) **según temporada**, así como (9) **el importe diario** del (10) **alquiler** del Salón sin servicios adicionales. Naturalmente, el coste total depende de éstos y, a modo indicativo, le incluyo algunos precios. No dude en consultarnos para cualquier información complementaria.

Atentamente,

¿CÓMO SE DICE?

- **Acuse de recibo de una carta**

En respuesta Refiriéndonos Referente	a +	- su atenta del ... - su demanda del ... - su carta del ...

Hemos recibido su carta...

- **Introducir una respuesta positiva**
  Tenemos el gusto de comunicarles
  Nos es grato comunicarles
  Nos complace comunicarles

- **Manifestar acuerdo**
  Para referirse a lo acordado
  Conforme a sus instrucciones...
  Según lo convenido...
  De acuerdo con su demanda...

  Para confirmar una propuesta
  Estamos conformes con (en) esa fecha
  Estamos de acuerdo con los precios indicados

- **Expresar seguridad, certidumbre**
  Estamos seguros / Con el convencimiento / Estamos convencidos / En la seguridad } de que } + ***verbo en futuro***
  - quedarán satisfechos
  - les satisfará

- **Expresar duda, incertidumbre**
  No estamos seguros } de } + ***verbo en infinitivo***
  - poder atender su demanda
  de que } + ***verbo en subjuntivo***
  - podamos reservar...
  Dudamos que } + ***verbo en subjuntivo***
  - el Sr. Rivas esté libre en las fechas indicadas

- **Respuesta negativas**
  Introducción
  Sentimos manifestarle que...
  Lamentamos comunicarle que...

  Negación
  ...no podemos atenderle
  ...nos es imposible satisfacerle

- **Justificar una respuesta negativa**

  Ya que, desgraciadamente, todo está ocupado
  Porque su reserva nos ha llegado demasiado tarde

  Debido a } + ***sustantivo***
  - su retraso
  - la reparación de nuestras instalaciones

  Por } + ***verbo en infinitivo***
  - encontrarnos completamente desbordados
  - encontrarnos en plena temporada

  Al } + ***verbo en infinitivo***
  - encontrarnos en obras de renovación

- **Hacer sugerencias, proponer**

  Le sugerimos la fecha del 12 a las nueve
  Le proponemos aplazar la cita
  El Sr. Romeral le propone que se vean por la tarde del mismo día
  Le podemos recomendar el Hotel Gran Vida que está en nuestra misma calle
  Nos permitimos sugerirles el Hotel De Noche

¡NO OLVIDES!

- No tienes que confundir **gracias a** ("gracias al buen servicio de su hotel", para expresar causa, es equivalente a "debido a") con **gracias por** ("gracias por su pronta contestación", para expresar agradecimiento).
- OJO, las expresiones **nos es grato, es un placer** no necesitan preposición para introducir el verbo : **comunicarles, decirles,** etc.
- La expresión **conforme a,** equivale a **según, según sus instrucciones.**
Su sentido es diferente a **estar conforme(s) en (con),** que significa "estar de acuerdo con algo".
- El empleo de **quedar,** en lugar de **estar** en **quedarán plenamente satisfechos** resalta el resultado de la acción.
- La expresión **no dude en consultarnos** se usa para ponerse a disposición de alguien.
- Fíjate en que para introducir la causa puedes usar **por, debido a, a causa de...,** seguido de sustantivo.

¡Ahora tú!

• Estimado Sr. :
En .... a su atenta del 20 .... corriente, nos es .... comunicarle que hemos .... a .... de su empresa las habitaciones que Vds. nos .... (pedir).
Estamos seguros .... que .... plenamente satisfechos de su .... en nuestro hotel.

• .... a su atenta carta del 27 de febrero pasado y .... a sus instrucciones, su reserva del apartamento 1125 será efectiva en cuanto nos .... (enviar) la cantidad de 125.000 pts. en concepto de adelanto.

• .... a sus instrucciones, nos .... comunicarles que hemos reservado cinco habitaciones .... nombre de la Sociedad Urbi&Orbi y estamos .... de que .... plenamente satisfechos de su .... en nuestra residencia.

• Estimado Sr.:
.... comunicarle que nos vemos en la imposibilidad de .... su demanda para las .... que nos indica, ... habernos llegado con un retraso considerable.

10 CURSAR UN PEDIDO

Después de recibir un presupuesto de la firma Zagala, S.A., las Aerolíneas Al-Andalus deciden cursar un pedido en el que hacen referencia a las condiciones de entrega que exigen.

Completa la siguiente carta con los elementos correspondientes :

1. ***Hacer referencia a una oferta anterior :***
   - Siguiendo la oferta
   - En relación a la oferta
   - Después de la oferta

2. ***Petición muy cortés :***
   - les ruego se sirvan
   - les ruego me sirvan
   - les pido me presten el servicio de

3. ***"... las condiciones" :***
   - Respeto por
   - Respecto a
   - Respeten

4. ***Elige la expresión adecuada :***
   - hemos de apuntar
   - hemos de puntualizar
   - precisamos

5. ***"El envío de las mercancías" :***
   - el suministro de las mercancías
   - la distribución de las mercancías
   - el presupuesto de las mercancías

6. ***Introducir una condición :***
   - siempre que
   - condicionado a que
   - si

7. ***"Como máximo" :***
   - lo más tarde posible
   - a lo más tardar
   - lo menos tarde posible

8. ***"Porque estamos" :***
   - por encontrarnos
   - porque nos situamos
   - debido a nuestra situación

9. *Anunciar que se anularía la orden:*
   - considerarlo nulo
   - darlo por cancelado
   - cerrarlo por consideración

10. *Pedir que se comunique la llegada de la nota de pedido:*
    - Rogándoles acusen recibo
    - Pidiéndoles un recibo
    - Rogándoles recepción

AL-ANDALUS
C/ Corte de los Milagros s/n
41001 SEVILLA

ZAGALA S.A.
Polígono Industrial
"La Morriña"
Bloque n°12
27072 LUGO

21 de mayo de.....

Estimados Sres. :
(1) .... de su Director de Ventas,
(2) .... remitirnos los artículos de la nota de pedido incluida más abajo.
(3) .... de entrega, (4) .... lo siguiente: (5) .... se realizará en el plazo más breve posible y (6) .... se produzca, (7) ...., a quince días de recibido este pedido (8) .... en pleno periodo de lanzamiento comercial. En caso contrario, nos vemos en la obligación de (9) ....

PEDIDO CITADO

Modelo	Ref.	Cantidad	Precio
Oletumare	BO/BO	50	15475 pts.
Vivaerbeti	AP/P	24	16232 pts.
Andallá	TA/T	15	14896 pts.

(10) .... de éste, les saluda atentamente,

Pedro Martinete

Pedro Martinete
Director General

Estimados Sres. :
(1) En relación a la oferta de su Director de Ventas, **(2) les ruego se sirvan** remitirnos los artículos de la nota de pedido incluida más abajo.
(3) Respecto a las condiciones de entrega, **(4) hemos de puntualizar** lo siguiente : **(5) el suministro de las mercancías** se realizará en el plazo más breve posible y **(6) siempre que** se produzca, **(7) a lo más tardar**, a quince días de recibido este pedido **(8) por encontrarnos** en pleno período de lanzamiento comercial. En caso contrario, nos vemos en la obligación de **(9) darlo por cancelado**.

PEDIDO CITADO

Modelo	Ref.	Cantidad	Precio
Oletumare	BO/BO	50	15475 pts.
Vivaerbeti	AP/P	24	16232 pts.
Andallá	TA/T	15	14896 pts.

(10) Rogándoles acusen recibo de éste, les saluda atentamente,

¿CÓMO SE DICE?

- **Hacer una petición muy cortés o formal**
  Les ruego se sirvan...
  Sírvanse enviarme
  Tengan la bondad de remitirme muestras
  Nos complace cursarles pedido de...
  Les ruego me provean con/de...
  Como aceptación de su oferta del... les cursamos el siguiente pedido
  Conforme a su oferta del... les rogamos el suministro de...

• **Hacer referencia a algunos elementos**

La nota incluida más abajo
Las condiciones arriba indicadas
Dicha oferta
Los artículos siguientes
(Con) respecto a las condiciones expuestas en su última carta
Referente a la entrega
En cuanto a

¡NO OLVIDES!

– Las expresiones **sírvanse** y **le(s) ruego se sirva(n)**, van seguidas de infinitivo.

– Fíjate en que **haber** seguido de **de** expresa obligación : **hemos de puntualizar**.

– El verbo **puntualizar** significa "señalar, llamar la atención sobre".

– Observa que **el suministro**, es el envío de la mercancía.

– Para hacer referencia a **la mercancía** pedida se pueden usar los siguientes términos **los géneros** y **los artículos**.

– La expresión **dar por cancelado** significa "considerar anulado".

¡Ahora tú!

• Estimado Sr. :
En .... a su oferta del 12 ... corriente, ... enviarme los artículos de.................incluida .... que nos .... de ser remitidos a nuestra dirección de Cuenca.
.... a las condiciones de ...., es .... que nos los envíen antes del 20 del presente mes.

• Estimados Sres. :
.... remitirme en el plazo .... breve los .... incluidos más .... en nota.

• Habiendo recibido su carta con las tarifas y condiciones de venta, nos complace .... el siguiente pedido. El envío de las mercancías .... de hacerse en nuestros almacenes .... más brevemente .... en las condiciones habituales.

11 CONDICIONES DE ENTREGA

El Sr. Hernández responde a una carta en la que se le pedía que especificara las condiciones de entrega de las mercancías dependiendo de las cantidades suministradas.

Ayuda a redactar las condiciones de entrega de la firma Zagala, S.A., completando la carta :

1. ***Para hacer referencia a una carta anterior :***
   – Según las referencias de
   – Las referencias que tenemos de
   – Refiriéndonos a

2. ***"Lo que siempre hacemos es..." :***
   – acabamos de practicar
   – solemos practicar
   – venimos a practicar
   – desacostumbramos practicar

3. ***"Por consiguiente..." :***
   – Como consecuencia
   – Sin embargo
   – Por lo tanto

4. ***Elige el verbo adecuado :***
   – les serán despachadas
   – se las arreglarán
   – se las arreglaremos

5. ***Precisar las condiciones de entrega :***
   – embalaje incluido y porte a su cargo
   – encargado el embalaje y sin portes
   – cargado el embalaje y transportado

6. ***"Les aconsejamos..." :***
   – llamen
   – apelen
   – recurran

7. ***Elige la expresión adecuada :***
   – haciéndonos cargo
   – corriendo a nuestro cargo
   – encargándonos

8. ***"Papeles, pagos, etc." :***
   – los papeleos de aduana
   – los aranceles
   – los trámites de aduana

ZAGALA S.A.

Polígono Industrial «La Morriña» Bloque nº 12 – 27072 LUGO

s/ref. DE/CM 250 n/ref. RH/PC 275

LA FIACA Hnos.
Evita Martín Fierro 2156
1426 BUENOS AIRES
Argentina

23 de mayo de ....

Estimados Sres. :
(1) .... su atenta del 5 del corriente donde nos piden condiciones de entrega, nos complace comunicarles que, para los volúmenes indicados por Vds., los precios que (2) .... se entienden "Salida de Fábrica" (EXW). (3) ...., las mercancías (4) .... en las condiciones siguientes :
(5) .... a la mensajería que designen.
(6) .... a ATLANTIS por la fiabilidad y rapidez de sus envíos.
Para volúmenes más importantes, los precios especificados en anexo se entienden "Franco Transportista" (FRC) aeropuerto de Madrid-Barajas, (7) .... el transporte hasta el punto de entrega así como (8) ....
Para cualquier información complementaria, no duden en consultarnos. Esperando que estas condiciones les convengan, reciban un atento saludo,

Rodolfo Hernández
Director General

Estimados Sres. :
(1) **Refiriéndonos a** su atenta del 5 del corriente donde nos piden condiciones de entrega, nos complace comunicarles que, para los volúmenes indicados por Vds., los precios que (2) **solemos practicar** se entienden "Salida de Fábrica" (EXW). (3) **Por lo tanto,** las mercancías (4) **les serán despachadas** en las condiciones siguientes: (5) **embalaje incluido y porte a su cargo** a la mensajería que designen. (6) **Les aconsejamos recurran** a ATLANTIS por la fiabilidad y rapidez de sus envíos.
Para volúmenes más importantes, los precios especificados en anexo se entienden "Franco Transportista" (FRC) aeropuerto de Madrid-Barajas, (7) **corriendo a nuestro cargo** el transporte hasta el punto de entrega así como (8) **los trámites de aduana.**
Para cualquier información complementaria, no duden en consultarnos. Esperando que estas condiciones les convengan, reciban un atento saludo,

¿CÓMO SE DICE?

- **Especificar las condiciones de entrega**

Plazo de entrega

Hay que contar con un plazo de entrega de quince días
La entrega se ejecutará en 20 días como máximo

Lugar de la entrega

Sírvase recoger el pedido en el punto de destino convenido de antemano

La mercancía se servirá directamente desde almacén

En relación con el pago
Las mercancías les serán entregadas contra reembolso
Para la entrega de las mercancías se necesita un conocimiento nominativo
La orden de pago se dará por nuestro banco contra entrega de documentos

- **Reparto de los gastos de transporte**
Estos precios se entienden...

...en fábrica, salida de fábrica, en factoría/en almacén
(El vendedor se responsabiliza únicamente de colocar la mercancía a disposición del cliente en su propio establecimiento)

...franco transportista (punto convenido)

...franco vagón (punto de partida convenido)
(El vendedor asume los riesgos y gastos hasta que la mercancía haya sido cargada en el vagón: *F.O.R.*)

...franco a bordo (puerto de embarque convenido)
(El vendedor sitúa la mercancía a bordo del buque y realiza los trámites aduaneros : *F.O.B.)*

F.O.B.: Aeropuerto (aeropuerto convenido)

Coste y flete (puerto de destino convenido)
(El vendedor asume todos los gastos de transporte menos el seguro que corre a cargo del comprador: *C&F)*

Coste, seguro y flete (puerto de destino convenido)
(Flete/porte y seguro pagado hasta el punto de destino convenido : *C.I.F)*

Entregado libre de cargos (lugar de destino convenido en el país de importación)

- **Anunciar una entrega**

  De conformidad con sus instrucciones, hemos enviado las mercancías

  Nos complace informarles que acabamos de ejecutar su pedido

  Por la presente les comunicamos que su pedido está listo para ser despachado

  Hemos de comunicarle que la fecha de nuestra próxima entrega será el...

  El suministro de la mercancía se efectuará, según lo dispuesto, la semana que viene

  Las mercancías les serán despachadas en las condiciones por Vds. propuestas

¡NO OLVIDES!

– Fíjate en la construcción **solemos practicar.** El verbo **soler** va acompañado de un infinitivo, sirve para referirse a acciones habituales.Lo mismo sucede con **acostumbrar + infinitivo** y con **venimos a practicar** .

– **Por (lo) tanto** se usa para presentar la consecuencia de algo haciendo hincapié en la relación causa-efecto.

– Los verbos que expresan orden, consejo, etc. van seguidos de oraciones subordinadas en subjuntivo. La partícula **que** se omite en la correspondencia comercial.

– Las expresiones **correr a nuestro cargo**, **correr de nuestra cuenta**, **hacerse cargo** y **encargarse** van seguidas de **de**.

– No confundas **los trámites**, "las formalidades administrativas" con **los aranceles**, "las tasas de aduana".

¡Ahora tú!

• Señores :
Refiriéndonos a su carta del 2 del corriente donde nos piden condiciones de ...., les .... que los precios que .... practicar se entienden "............... de Fábrica", es decir, con embalaje ...., pero corriendo a su .... los .... a partir de nuestros almacenes. Esperando que estas condiciones les..............., ... saluda atte.,

• Estimado Sr. :
En respuesta a su atenta carta, ... de comunicarle que nuestros .... de entrega .... (ser) como máximo de 15 días a partir de la recepción de su .... y las .... les serán entregadas a domicilio .... reembolso.

• Estimados Sres. :
El envío se hará en las condiciones .... por Vds., es decir CIF (Coste, ... y Flete). Por lo ...., nosotros, asumimos todos los .... de transporte hasta Lisboa y contratamos el .... hasta el punto de ....

12 RESPONDER A ÓRDENES DE PEDIDO

Completa la respuesta a la orden de pedido con los elementos que te proponemos :

Rodolfo Hernández responde personalmente al pedido cursado por Aerolíneas Al-Andalus.

1. ***Fórmula para manifestar acuerdo :***
   – De conformidad con
   – Estando conformes con
   – Relacionado con su demanda

2. ***¿Qué expresión es la adecuada?***
   – complacemos en
   – gusta
   – complacemos

3. ***"Se ejecutará" :***
   – se efectuará
   – será en efectivo
   – surtirá el efecto

4. ***Elige la expresión que corresponde :***
   – la entrega a plazos
   – el plazo de entrega
   – el término de entrega

5. ***"A preparar" el pedido :***
   – a hacerlo ejecutivo
   – a cumplimentarlo
   – a cumplirlo

6. ***"Referente a" :***
   – La referencia de
   – Relacionado con
   – En cuanto a

7. ***Indicar que ciertos artículos no pueden ser enviados :***
   – no están a su disposición
   – no están disponibles
   – están indispuestos

8. ***"Causas que no se han producido de forma voluntaria" :***
   – lejos de nuestra voluntad
   – ajenas a nuestra voluntad
   – fuera de nuestra voluntad

9. ***Señalar retraso/demora en la entrega :***
   – se retrasará
   – se hará sin demora
   – será adelantada

ZAGALA S.A.
Polígono Industrial «La Morriña» Bloque nº 12 – 27072 LUGO

s/ref. PM/AA 15 n/ref. RH/CA 888

AEROLINEAS AL-ANDALUS
C/Corte de los Milagros s/n
41001 SEVILLA

24 de mayo de ....

Asunto : Envío mercancía

Estimados Sres. :
(1) .... su orden de pedido nº 0001, nos
(2) .... comunicarles que se les remitirán
los artículos siguientes :

Modelo	Ref.	Cantidad	Precio
Oletumare	BO/BO	50	15475 pts.
Vivaerbeti	AP/P	24	16232 pts.
Andallá	TA/T	15	14896 pts.

El envío (3) .... conforme a las
condiciones mencionadas por Vds. en dicha orden y
(4) .... será lo más breve posible, ya que a
partir de la recepción de su pedido, hemos procedido
(5) .... Por ésta les incluimos igualmente
confirmación adjunta.
(6) .... los artículos de referencia TA/T, lamentamos informarles que (7) .... por causas
(8) .... Su entrega (9) .... algunos
días.
Sin otro particular, se despide atentamente,

Rodolfo Hernández

Rodolfo Hernández
Director General

Estimados Sres. :
(1) **De conformidad con** su orden de pedido nº 0001, nos (2) **complacemos en** comunicarles que se les remitirán los artículos siguientes :

Modelo	Ref.	Cantidad	Precio
Oletumare	BO/BO	50	15475 pts.
Vivaerbeti	AP/P	24	16232 pts.
Andallá	TA/T	15	14896 pts.

El envío (3) **se efectuará** conforme a las condiciones mencionadas por Vds. en dicha orden y (4) **el plazo de entrega** será lo más breve posible, ya que a partir de la recepción de su pedido, hemos procedido (5) **a cumplimentarlo**. Por ésta les incluimos igualmente confirmación adjunta.
(6) **En cuanto a** los artículos de referencia TA/T, lamentamos informarles que (7) **no están disponibles** por causas (8) **ajenas a nuestra voluntad**. Su entrega (9) **se retrasará** algunos días.
Sin otro particular, se despide atentamente,

¿CÓMO SE DICE?

- **Acuse de recibo de una carta anterior**
  - De conformidad con...
  - Conforme a...
  - En respuesta a...

Hemos recibido su...
Obra en nuestro poder su...

• **Introducir una respuesta positiva**

Nos complacemos en transmitirles Nos es grato comunicarles	que	+ ***verbo en indicativo*** - ya se ha ejecutado el pedido - los artículos solicitados les serán remitidos en dos semanas

Nos complace + ***verbo en infinitivo***
- remitirles los siguientes artículos

• **Anunciar un envío**

La entrega { se efectuará / se realizará / será efectuada }
Llevaremos a efecto la entrega
La entrega tendrá efecto

• **Confirmar los detalles de la entrega**

Confirmamos que cumpliremos con los plazos de entrega previstos
Confirmamos que el plazo de entrega es de una semana a partir de...
Confirmamos la entrega para finales de mes/de la semana próxima

• **Declarar anomalías en la ejecución del pedido**

Los artículos solicitados no pueden ser enviados

Lamentamos informarles no disponer en existencias de los artículos de referencia...
Lamentamos comunicarles estar en ruptura de stocks
Lamentamos no poder servirles los artículos solicitados por estar fuera de nuestro programa de fabricación

Anunciar demora en la entrega

Debido a una huelga de transportes, lamentamos...
Lamentamos comunicarles una demora en la entrega
Lamentamos tener que aplazar la entrega de los artículos
No podremos remitirle su pedido antes de fin de mes
No dejaremos de informarle si podemos o no efectuar la entrega en la fecha prevista

- **Proponer sustituir un producto**

Podemos ofrecerle, sin embargo, la referencia ZO/T de nuestro catálogo, que tenemos en existencias
En cambio, podemos hacerle una oferta a 50 pts. menos para el artículo n° 20, semejante al primero, actualmente no disponible
Le enviamos una lista de precios correspondientes a otros productos que estamos en condiciones de ofrecerle
El producto 537 está descatalogado y ha sido sustituido por un nuevo modelo. La calidad y el precio se mantienen

¡NO OLVIDES!

– Observa las diferencias entre las expresiones:
nos complacemos en anunciarle ,
nos complace anunciarles.

– OJO, **llevar a efecto** significa "ejecutar", mientras que **en efectivo** significa liquidar un pago con dinero en metálico, y no con cheques, etc.

– No confundas **el plazo de entrega**, que es la fecha en la que se efectua una entrega, con efectuar un pago **a plazos**, que siginifica "a crédito, en periodos de tiempo determinados"
.

– No confundas el término jurídico **cumplimentar** , que siginifica "ejecutar, realizar, llevar a cabo", con **cumplir con**, "respetar un contrato, una promesa, etc.". Observa también las diferencias entre **cumpliremos con los plazos** y **el plazo cumple esta semana** (= finaliza).

– Distingue entre **ajeno** (=independiente de), **extranjero** (= que no es de ese país) y **extraño** (=desconocido).

¡Ahora tú!

• De .... con su .... de pedido n° 69005, nos complacemos .... comunicarles que les serán remitidos los .... siguientes : 15 ref. AA. El .... se realizará .... a las instrucciones mencionadas por Vds. y el .... de entrega será de una semana a partir de la recepción de su ....
En .... a los artículos de ref. G/TA, ... informarles que, de momento, no......... disponibles ...... causas ajenas a nuestra voluntad.

• ...... a su orden de .... n° 789, nos ....remitirles los .... siguientes : ....
Les .... por ésta que la .... se efectuará en conformidad a sus indicaciones y que el .... será de quince días a partir de la recepción de su pedido.

• .... informarles por la presente no disponer momentáneamente en .... de los artículos que nos piden, pero podemos .... la referencia Q/TRE de nuestro catálogo, de características similares a las de su pedido.

• Lamentamos informarles .... la presente que los .... de entrega sufrirán una .... de una semana respecto a las fechas anunciadas.

13 HACER UNA RECLAMACIÓN

Aerolíneas Al-Andalus ha recibido un pedido de la firma Zagala, S.A. que no se corresponde con lo que habían solicitado. Escriben una carta de reclamación en la que hacen una relación de los artículos que faltan y de los que han recibido sin ser pedidos.

Ayuda a completar la carta de Aerolíneas Al-Andalus con los elementos que faltan :

1. ***Elige el tiempo que corresponde :***
   - habíamos recibido
   - recibimos
   - hemos recibido

2. ***"En el tiempo acordado" :***
   - dentro del plazo previsto
   - en los plazos previsionales
   - en los términos convenidos

3. ***"Sino..." :***
   - que además
   - que otra vez
   - además

4. ***Señalar que se trata de un error :***
   - están equivocados en
   - está confusa
   - se trata de una confusión

5. ***"Las mercancías no pueden ser aceptadas" :***
   - nos vemos obligados a rechazar
   - no vemos la obligación de rechazar
   - nos presionan para rechazar

6. ***Pedir rapidez en el envío de la mercancía :***
   - nos sean remitidos los enviados antes
   - nos remitan los anteriores
   - nos sean remitidos cuanto antes

7. ***"Si no se hace así" :***
   - En su defecto
   - Defectuosos
   - Por faltar

AL-ANDALUS
C/ Corte de los Milagros s/n
41001 SEVILLA

s/ref. RH/CA 888 n/ref. PM/LM 20

ZAGALA S.A.
Departamento de Ventas
Polígono Industrial
"La Morriña" Bloque n°12
27072 LUGO

6 de junio de.........

Estimados Sres. :
Conforme a las indicaciones de nuestra nota de pedido, (1) .... su envío el pasado día 30, (2) .... Sin embargo, lamentamos comunicarles que, comprobado el contenido, no sólo nos mandan 50 artículos "Oletupare" (ref. BO/I) que no corresponde a la ref. BO/BO pedida por nosotros, (3) .... nos extraña que incluyan 24 artículos P/PA que no hemos solicitado de ningún modo. Sin duda, (4) .... con los 24 "Vivaerbeti" (ref. A/PP), los cuales nos han llegado normalmente.
Por consiguiente, (5) .... dichas mercancías:

- 50 artículos de ref. BO/I por no ser de conformidad
- 24 artículos de ref. P/PA no incluidos en nuestro pedido.

Unos y otros quedan a su disposición en espera de sus noticias.
En cuanto a los 32 de ref. BO/BO, sírvanse hacer todo lo necesario para que (6) ...., tal como habíamos convenido.
(7) ...., considérenlos anulados.
Atentamente,

Pedro Martinete
Director General

Estimados Sres. :
Conforme a las indicaciones de nuestra nota de pedido, **(1) recibimos** su envío el pasado día 30, **(2) dentro del plazo previsto**. Sin embargo, lamentamos comunicarles que, comprobado el contenido, no sólo nos mandan 50 artículos "Oletupare" (ref. BO/I) que no corresponde a la ref. BO/BO pedida por nosotros, **(3) sino que además** nos extraña que incluyan 24 artículos P/PA que no hemos solicitado de ningún modo. Sin duda, **(4) se trata de una confusión** con los 24 "Vivaerbeti" (ref. A/PP), los cuales nos han llegado normalmente.
Por consiguiente, **(5) nos vemos obligados a rechazar** dichas mercancías :

- 50 artículos de ref. BO/I, por no ser de conformidad.
- 24 artículos de ref. P/PA, no incluidos en nuestro pedido.

Unos y otros quedan a su disposición en espera de sus noticias.
En cuanto a los 32 de ref. BO/BO, sírvanse hacer todo lo necesario para que **(6) nos sean remitidos cuanto antes**, tal como habíamos convenido. **(7) En su defecto**, considérenlos anulados.

Atentamente,

¿CÓMO SE DICE?

- **Señalar retraso en la entrega**

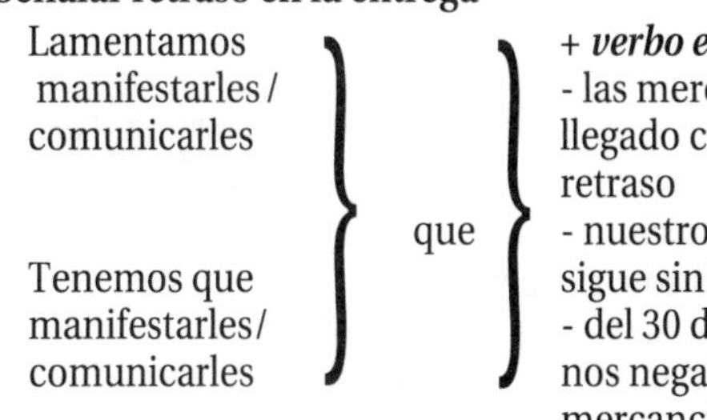

Lamentamos manifestarles / comunicarles Tenemos que manifestarles/ comunicarles	que	+ *verbo en indicativo* - las mercancías han llegado con un enorme retraso - nuestro pedido de fecha... sigue sin llegar - del 30 de julio en adelante nos negamos a aceptar la mercancía

Las mercancías nos han sido remitidas fuera del plazo previsto

- **Señalar errores en el envío**

Los artículos no corresponden con nuestras indicaciones
En lugar de 12 cajas nos han remitido 7
Nos han mandado 7 piezas de referencia ZO/T en lugar de la referencia LO/T
Su envío dista mucho de corresponder a las indicaciones del pedido
Lamentablemente lo pedido no se corresponde con lo recibido

- **Rechazar/devolver una entrega**

Por + ***infinitivo****

Se los devolvemos por no ser de nuestra conformidad
Por no cumplir el plazo de entrega nos vemos obligados a rechazar la mercancía

Debido a + ***sustantivo****

Debido al mal estado de las mercancías no podemos quedarnos con ellas
No podemos quedarnos con las mercancías debido a su mal esto

** El orden dentro de la frase depende de lo que se quiere resaltar en ese momento.*

- **LLamar la atención sobre lo acordado**

Tal como / Según	habíamos	convenido... / quedado...

Habíamos acordado que la entrega sería inmediata
Les recordamos que habíamos quedado en que los gastos de transporte corrían de su cuenta
Según los términos de nuestro acuerdo

- **Exponer las condiciones de reclamación**

Podremos quedarnos con las mercancías en su estado siempre que nos hagan un descuento del 5%
No podremos continuar nuestras relaciones a no ser que la ejecución de nuestros pedidos se mejore

Reclamar una sustitución de la mercancía

Consideren anulado el pedido de no recibirlo la semana próxima a más tardar
En su defecto, den el pedido por cancelado

- **Reclamar la indemnización de los daños ocasionados**

Exigimos una indemnización
Nos vemos obligados a reclamar daños y perjuicios por los trastornos irreparables
Los costes de reexpedición y la indemnización por daños y perjuicios corren a su cargo
Les remitimos una estimación de los daños y perjuicios ocasionados

¡NO OLVIDES!

– La expresión **conforme a (con)**,equivalente a "según", no hay que confundirla con el adjetivo **conforme(s)** : **(no) está conforme con lo que dije**, que significa "no estar de acuerdo".
La expresión **por no ser de conformidad,** implica no corresponder a algo establecido previamente (un pedido, una normativa, etc.).

– **No sólo ... sino que...,** es una expresión que introduce dos elementos de la misma categoría: "no sólo se han retrasado en el envío, sino que la mercancía está defectuosa".

– **Se trata de** introduce el tema o asunto objeto de la carta.

– **Una confusión**, **una equivocación** y **un error** son términos equivalentes.

– "**Nos vemos obligados a**"= no tener ninguna otra opción.

– Los términos **remitir, despachar** y **enviar** son sinónimos.

– Indican acuerdo las siguientes expresiones : **convenir, acordar, quedar en.**

¡Ahora tú!

• Estimado Sr. :
.... a lo especificado en nuestra .... de pedido n° 0123, hemos recibido su envío dentro del .... indicado por nosotros. Desgraciadamente, ... (tener) .... comunicarles que, ... el contenido del embalaje, Vd. nos ha enviado 321 artículos .... referencia G/TA que no hemos solicitado de .... modo. En cuanto a los 125 artículos ...... referencia ZA/P, nos .... obligados .... rechazarlos por no .... de conformidad. Sin duda, se .... de una .... con los 125 de referencia A/RRE, que no nos han llegado hasta ahora.
Unos y otros .... a .... disposición .... espera de sus noticias. .... cuanto a los 125 (ref. A/RRE) considérenlos ....
Atentamente,

• Estimados Sres. :
Por la presente .... que comunicarles la devolución de nuestro pedido n° 336 .... al mal estado de las mercancías, las cuales además nos han llegado con un considerable ...., fuera del .... de entrega que habíamos convenido.
Atentamente,

14 PAGOS

MODALIDADES DE PAGO

Luis Carneiro del Departamento de Contabilidad de Zagala, S.A. escribe una carta a Aerolíneas Al-Andalus en respuesta a su demanda de información sobre las modalidades de pago.

Ayuda a completar la carta informativa con los términos correspondientes :

1. ***Introducir el motivo de la carta :***
   - En respuesta a
   - Con esta contestación a
   - Le contesto con ésta

2. ***¿Qué expresión es la adecuada?***
   - nuestras condiciones para cobrar
   - nuestras condiciones de pago
   - nuestras condiciones de pagarés

3. ***Cantidades que no superen las 100.000 pts. :***
   - Para toda importancia menor de
   - Para todo importe inferior a
   - Sea cual sea el importe inferior

4. ***"... la factura" :***
   - recibiendo
   - al recibir
   - con la recepción de

5. ***Si la cifra es superior a 100.000 pts. :***
   - En caso de que sobrepase
   - En caso de sobresalir
   - Si está superada

6. ***Elige la expresión adecuada :***
   - se le tirará la letra
   - se le devolverá el efecto
   - se le girará letra

7. ***Después de 30 días de recibir la factura :***
   - con vistas a un mes
   - a un mes a la vista
   - a treinta días vista

8. ***Dirección a la que tienen que dirigir las cartas :***
– pueden mandarnos el correo
– pueden dirigir la correspondencia
– pueden despachar nuestra correspondencia

ZAGALA S.A.
Polígono Industrial «La Morriña» Bloque n° 12 – 27072 LUGO

AEROLINEAS AL-ANDALUS
Dirección General de
Mantenimiento y Servidumbres
C/Corte de los Milagros s/n
41001 SEVILLA

15 de mayo de.........

Asunto : Condiciones de pago

Estimados Sres. :
(1) .... su carta de información sobre (2) ...., nos es grato informarles que son las siguientes :
(3) .... 100.000 pts., el pago se efectuará (4) .... ya, por talón bancario, ya mediante giro postal o bancario, ya por transferencia a nuestra cuenta del Banco Pastizal.
(5) .... tal cifra, (6) .... por el valor correspondiente (7) .... fecha factura.
Para cualquier información que necesiten
(8) .... a la atención del Sr. Carneiro, encargado de Clientes, Sección de Contabilidad.
Esperando que estas condiciones les convengan, reciban un atento saludo,

Departamento de Contabilidad

Luis Carneiro

Luis Carneiro

ENVIAR FACTURAS Y LIQUIDAR PAGOS

A partir de los elementos propuestos, completa la carta del Sr. Carneiro :

Después de reclamar una factura las Aerolíneas Al-Andalus reciben una nueva liquidación en la que aparecen subsanados los errores.

1. ***Anunciar un envío :***
   - Tengo el gusto de remitirle
   - Tengo el gusto de devolverle
   - Tengo el gusto de pedirle

2. ***Elige la expresión más adecuada :***
   - impuestos incluidos
   - tasas incluidas
   - incluidos los impuestos

3. ***"Abonar, admitir en pago":***
   - le hemos dado un crédito
   - tiene Vd. un crédito
   - le hemos acreditado

4. ***"Un saldo..." :***
   - que nos favorece
   - a nuestro favor
   - a nuestra cuenta

5. ***"El total del saldo ..." :***
   - asciende a
   - sube a
   - incrementa en

6. ***Una letra de 30 días :***
   - dentro de treinta días
   - en un mes y medio
   - a treinta días vista

7. ***Manifestar confianza :***
   - Teniéndole confianza
   - Manifestándole nuestra confianza
   - Confiando

8. ***Devolver la letra una vez conforme el cliente :***
   - nos será devuelta después de decir que sí
   - nos será devuelta tras aceptación
   - la devolvamos después de aceptarla

ZAGALA S.A.
Polígono Industrial «La Morriña» Bloque nº 12 – 27072 LUGO

AEROLINEAS AL-ANDALUS
Sección de Contabilidad
C/Corte de los Milagros s/n
41001 SEVILLA

20 de agosto de ......

Asunto : Envío de factura y letra

Estimado cliente :
(1) .... factura de fecha de hoy por un importe de de 357.489 pts. (2) (............................),
correspondiente a su pedido nº 0001, de fecha del 21 de mayo.
Tras comprobación, nos complace participarle que (3) .... en su cuenta la cantidad de 127.550 pts. (ciento veintisiete mil quinientas cincuenta pesetas) por sus devoluciones de material no conforme. Queda, por tanto, (4) ...., que (5) .... 229.939 pts. (doscientas veintinueve mil novecientas treinta y nueve pesetas).
Con vistas a la liquidación de su cuenta, me permito girarle en el día de hoy (6) .... letra a su cargo por valor de 229.939 pts.
(7) .... en que dicha letra (8) ...., le reitera un cordial saludo,

Departamento de Contabilidad

Luis Carneiro

Luis Carneiro

MODALIDADES DE PAGO

Estimados Sres. :
(1) **En respuesta a** su carta de información sobre
(2) **nuestras condiciones de pago**, nos es grato informarles que son las siguientes:
(3) **Para todo importe inferior a** 100.000 pts., el pago se efectuará (4) **al recibir la factura**, ya por talón bancario, ya mediante giro postal o bancario, ya por transferencia a nuestra cuenta del Banco Pastizal.
(5) **En caso de que sobrepase** tal cifra, (6) **se le girará letra** por el valor correspondiente (7) **a treinta días vista** fecha factura.
Para cualquier información que necesiten (8) **pueden dirigir la correspondencia** a la atención del Sr. Carneiro, encargado de Clientes, Sección de Contabilidad.
Esperando que estas condiciones les convengan, reciban un atento saludo,

ENVIAR FACTURAS Y LIQUIDAR PAGOS

Estimado cliente :
(1) **Tengo el gusto de remitirle** factura de fecha de hoy por un importe de 357.489 pts. (2) **(impuestos incluidos)**, correspondiente a su pedido n° 0001, de fecha del 21 de mayo.
Tras comprobación, nos complace participarle que (3) **le hemos acreditado** en su cuenta la cantidad de 127.550 pts. (ciento veintisiete mil quinientas cincuenta pesetas) por sus devoluciones de material no conforme. Queda, por tanto, (4) **un saldo a nuestro favor**, que (5) **asciende a** 229.939 pts. (doscientas veintinueve mil novecientas treinta y nueve pesetas).
Con vistas a la liquidación de su cuenta, me permito girarle en el día de hoy (6) **a treinta días vista** letra a su cargo por valor de 229.939 pts.
(7) **Confiando** en que dicha letra (8) **nos será devuelta tras aceptación**, le reitera un cordial saludo,

¿CÓMO SE DICE?

- **Introducir el motivo de la carta**
  En respuesta/contestación a...
  Referente a su demanda
  En relación con/en relación a su carta

- **Definir las condiciones de pago**
  Queda entendido que las condiciones de pago serán las siguientes...
  ...pago por talón/por cheque
  ...pago por giro postal
  ...por transferencia bancaria
  ...mediante giro bancario
  ...pago al formalizarse el pedido
  ...pago a la entrega
  ...pago contra documentos
  ...el 12% es pagadero al contado al formalizar/efectuar el pedido

- **Definir las condiciones de crédito**
  Pago a plazos
  Girar una letra a 90 días fecha factura
  Un pago fraccionado
  El tipo de interés es de...

- **Anunciar un envío**
  Tengo el gusto de remitirle
  Me complace enviarles/mandarles
  Adjunto le remito

- **Estado de la cuenta del cliente**
  El saldo asciende a...
  Su cuenta presenta un saldo a favor nuestro de...
  Le recordamos que su cuenta presenta/arroja un saldo deudor por valor de...

Tras verificación, su cuenta tiene un saldo acreedor de...
Por tanto, dispone de un haber de...
Con vistas a la liquidación de su cuenta le remitimos el siguiente talón/nos permitimos adjuntarle...

- **Acuerdo de unas condiciones de pago favorables**

Podemos hacerle un descuento de 1,5 % por pronto pago
Hacemos un descuento siempre que el pago sea al contado
Por encima de dicha cantidad, ofrecemos un descuento del 3% sin IVA
El tipo de descuento variará según la cantidad

- **Acuerdo sobre la demora/retraso en el pago**

Podremos concederle un plazo de...
El pago podrá ser fraccionado según la cláusula...
Excepcionalmente, podremos consentirle una moratoria de...
Lamentamos comunicarle que no solemos conceder ningún plazo suplementario
Sentimos que no sea posible un pago fraccionado

- **Despedidas reclamando la conformidad del cliente**

Esperando que las condiciones expuestas les sean favorables...
Confiando en que dicha liquidación coincida con la efectuada por Vds.

¡NO OLVIDES!

- Con **al + infinitivo** (**recibir**) se expresa la simultaneidad de una acción: "el pago se efectuará al formalizarse el pedido", es decir, "al = en el momento de".

- Observa la repetición **ya... ya** que se usa para mostrar varias posibilidades: "la mercancía será enviada ya por vía marítima ya por vía aérea".

- No confundas:
- **el pago asciende a** = el importe del pago es
- **el pago supera las... pts.** = el importe sobrepasa las ...pts.

- **Un informe** es una relación sobre el estado actual de determinados asuntos, es un conjunto de informaciones; **una información** se basa en aspectos puntuales.

- Fíjate en el uso de **tras** en **tras comprobación**, "después de comprobar algo".

- Observa las expresiones **acreditar una cuenta**, "abonar", y **cargar una cuenta**, "deber".

¡Ahora tú!

• Estimados Sres. :
En .... a su carta del............ de .... sobre nuestras condiciones de ...., nos es grato comunicarles que para todo .... inferior ...... 200.000 pts. el .... se hará ...... recibir la factura por .... bancario o .... postal o bien .... transferencia a .... cuenta del Banco Coca.
Para cantidades .... a esa cifra, se le .... letra a 30 días fecha factura.
Esperando que estas condiciones les ...., les saluda atentamente,

• Me .... transmitirle la factura correspondiente a su pedido n° 007 .... valor de 3.120.000 pts. (impuestos ....).

• Nos es .... comunicarle por la presente que le hemos .... en su .... la cantidad de 250.000 pts. .... sus devoluciones de material defectuoso.
Atentamente,

15 RECLAMAR PAGOS

Añade los elementos que faltan para poder enviar la carta reclamando un pago a Aerolíneas Al-Andalus :

Luis Carneiro, el responsable de la contabilidad en Zagala, S.A., reclama el pago de una factura a Aerolíneas Al-Andalus. La liquidación se hace a través de una letra bancaria que Aerolíneas Al-Andalus debe devolver aceptada.

1. ***Introducir amablemente una carta de reclamación :***
   - Me permito mandarles recuerdos de
   - Nos permitimos recordarles
   - Permítame que le recuerde

2. ***Todavía no ha sido liquidado el pago :***
   - seguimos saldando
   - su cuenta queda saldada
   - el saldo de su cuenta sigue siendo positivo

3. ***Las Aerolíneas Al-Andalus son las que deben abonar dicha cantidad :***
   - por favor nuestro
   - a favor nuestro
   - de nuestro favor

4. ***Notificar que no han recibido todavía respuesta :***
   - después de recibir una mala contestación
   - ya que aún no hemos recibido respuesta
   - pues aún no nos han respondido

5. ***Introducir la causa posible de la demora :***
   - No les tratamos de
   - No dudamos de que tratan con
   - No dudamos de que se trata de

6. ***Descartar algún inconveniente :***
   - De no tener
   - Con no tener
   - Al no tener

7. ***Elige el verbo adecuado:***
- han ingresado en
- han entrado en
- han cobrado por

ZAGALA S.A.
Polígono Industrial «La Morriña» Bloque nº 12 – 27072 LUGO

AEROLINEAS AL-ANDALUS
Sección de Contabilidad
C/Corte de los Milagros s/n
41001 SEVILLA

12 de setiembre de ......

Estimados Sres. :
(1) .... que (2) .... por valor de 229.939 pts. (doscientas veintinueve mil novecientas treinta y nueve pesetas) (3) .... desde nuestra última factura, (4) .... por su parte con aceptación del efecto que, por ese valor, se le giró con fecha del 20 del mes pasado. (5) .... un retraso involuntario de su Departamento de Contabilidad. (6) .... ninguna reclamación que hacernos sobre el desglose que en nuestra anterior carta le mencionábamos, les rogamos que, a la mayor brevedad posible, nos devuelvan dicho efecto con la debida aceptación. Si, entre tanto, ya (7) .... nuestra cuenta corriente la citada cantidad, rogamos no tengan en consideración la presente carta.
Atentamente les saluda,

Departamento de Contabilidad

Luis Carneiro

Estimados Sres. :
(1) Nos permitimos recordarles que **(2) el saldo de su cuenta sigue siendo positivo** por valor de 229.939 pts. (doscientas veintinueve mil novecientas treinta y nueve pesetas) **(3) a favor nuestro** desde nuestra última factura, **(4) ya que aún no hemos recibido respuesta** por su parte con aceptación del efecto que, por ese valor, se le giró con fecha del 20 del mes pasado. **(5) No dudamos de que se trata de** un retraso involuntario de su Departamento de Contabilidad.
(6) De no tener ninguna reclamación que hacernos sobre el desglose que en nuestra anterior carta le mencionábamos, les rogamos que, a la mayor brevedad posible, nos devuelvan dicho efecto con la debida aceptación. Si, entre tanto, ya **(7) han ingresado en** nuestra cuenta corriente la citada cantidad, rogamos no tengan en consideración la presente carta.
Atentamente les saluda,

¿CÓMO SE DICE?

- **Introducir amablemente una reclamación**
  Nos permitimos recordarles que...
  Lamentamos recordarles que...
  Nos extraña no haber recibido hasta la fecha

- **Justificar la carta de reclamación**
  Ya que aún no hemos recibido respuesta
  Ante su silencio
  Sin respuesta de su parte
  Como hasta la fecha no han liquidado la cantidad de...
  Dado que su cuenta sigue presentando un saldo positivo a nuestro favor

- **Mostrar confianza en la buena voluntad del cliente**

  No dudamos de que se trata de un retraso involuntario
  Confiamos en que se trata de una demora involuntaria
  Estamos seguros de que...
  Suponemos que se trata de un olvido por su parte

- **Si el cliente ya hubiera efectuado el pago reclamado**

  Si } + *verbo en indicativo*
  - ya han ingresado en nuestra cuenta...

  En caso de que } + *verbo en subjuntivo*
  - el pago ya haya sido efectuado

  De } + *verbo en infinitivo*
  - haber transferido ya el pago

  Les rogamos } + *verbo en infinitivo*
  - no tener en consideración...
  + *verbo en subjuntivo*
  - no tengan en cuenta...

- **Hacer una segunda reclamación**

  Nos vemos en la obligación de recordarles que su cuenta sigue presentando un saldo deudor de...
  Ante su prolongado silencio
  Lamentamos su continuado silencio a pesar de ofrecerles las mayores facilidades de pago
  Sentimos manifestarle que, salvo error u omisión, su deuda de... sigue sin ser pagada
  Todavía no ha sido saldado el importe de la factura nº... que asciende a 55.300 pts.
  Tras comprobación hemos constatado que su factura nº ... no ha sido todavía abonada
  Vd. se comprometió a pagar en el plazo previsto

- **Conceder la última oportunidad de saldar una deuda**

  Si su cuenta no ha sido saldada en el plazo de una semana
  En caso de impago en el plazo de quince días
  Excepto pago inmediato de su deuda

- **Entrar en procesos legales**

  Nos vemos en la obligación de tomar otro tipo de medidas
  Procederemos por vía judicial
  Nos veremos obligados a recurrir a nuestro Servicio de Contencioso/Litigios para que se proceda por vía judicial
  Nuestro abogado les enviará un último escrito antes de proceder por vía judicial

¡NO OLVIDES!

– **Seguir** +gerundio(**siendo**), se usa para resaltar la continuidad de una acción.

- La expresión **saldar una cuenta** y **liquidar una cuenta** son sinónimas.

– Observa que otra forma posible de introducir una explicación es con **ya que** .

– No confundas las siguientes palabras:
- **aún** = todavía, "aún no hemos recibido la orden de cobro de su departamento"
- **aun** + gerundio = aunque, "aun habiéndoles mandado ya una primera reclamación".

- **Tratarse de** se usa para hablar del motivo de la carta; **tratar** significa "discutir, hablar sobre algo".

– La construcción **de no tener** equivale a **si no tienen (Vds.)**, mientras que **al no tener** significa **por no tener, porque no tenemos.**

¡Ahora tú!

• Estimados Sres. :
Nos permitimos .... que el .... de su cuenta .... (seguir) siendo positivo .... valor de 122.223 pts. a ...... nuestro favor, ya que .... no hemos recibido .... por su parte a nuestras dos cartas.
No .... de que se .... de un .... involuntario y de que nuestro efecto nos será .... con la debida .... Si ya han .... en nuestra cuenta dicha cantidad, rogamos no tengan en .... la presente carta.
Atentamente,

• Estimados Sres. :
.... su silencio y, como hasta la fecha no .... (liquidar) su deuda, confiamos .... que se trata de un olvido involuntario y les .... que .... teniendo un saldo a .... nuestro .... por valor de 2 millones de pts. que esperamos nos hagan efectivo en breve plazo.
Les saluda atentamente,

• Ante el .... silencio por su parte, nos vemos .... la obligación de ...... que su deuda no ha sido .... pagada a pesar de nuestras repetidas cartas.
.... comunicarle que, en .... de impago en el .... de una semana,

16 CURRICULUM VITAE/HISTORIAL

SOLICITUD DE EMPLEO

Rodolfo Hernández, como jefe de personal de la firma Zagala, S.A., recibe la solicitud de empleo de Sophie Durevie así como su curriculum vitae.

Ayuda a terminar la siguiente solicitud de empleo :

1. ***Referirse al puesto de trabajo que se desempeña:***
   - tengo a mi cargo
   - desempeño el cargo
   - me hago cargo

2. ***"Hacer algo por propia iniciativa" :***
   - tengo libertad
   - me tomo la libertad
   - pido la libertad

3. ***"... de comunicación" :***
   - las medias
   - los medios
   - los intermediarios

4. ***¿Qué expresión es la adecuada?***
   - me han permitido conquistar
   - han permitido lograr
   - me han permitido adquirir

5. ***"... experiencia" :***
   - poseo mayor
   - dispongo de una larga
   - tengo una amplia

6. ***Elige el verbo que corresponde :***
   - actúa en un papel
   - tiene un papel
   - hace un papel

7. ***¿Cómo se expresa el porcentaje de ventas?***
   - tipo de ventas
   - porcentaje vendido
   - tanto por ciento de facturación

8. ***Adjuntar el curriculum vitae. :***
   - Les coloco mi historia
   - Les confío un curriculum
   - Les incluyo un historial

Sophie Durevie
C/Angustias, 125
Pozuelo de Alarcón
28013 MADRID
Tfno. : 345.89.67

Madrid, 19 de setiembre de......

A la atención del Jefe de Personal.

Distinguido Sr. :
Desde hace dos años (1) .... de encargada de prensa en Cables Cruzados S.A., empresa líder en la difusión de películas por cable, y, conociendo la importancia de su firma en el sector, (2) .... de dirigirles la presente para ofrecerles mis servicios en un puesto similar.
Mi trabajo en el campo de la comunicación y mis contactos con (3) ...., generales y especializados, nacionales así como internacionales, (4) .... todo tipo de relaciones. Por tanto, (5) .... que puede serle útil a una empresa como la suya, en donde la comunicación (6) .... tan destacado.
Por otra parte, siempre he deseado poner mis competencias al servicio de un sector puntero como el suyo con un importante (7) .... dedicado a la exportación.
(8) .... y, en espera de sus noticias, me pongo a su entera disposición. Reciba un atento saludo,

S. Durevie

Sophie Durevie

A la atención del Jefe de Personal.

Distinguido Sr. :

Desde hace dos años **(1) desempeño el cargo** de encargada de prensa en Cables Cruzados S.A., empresa líder en la difusión de películas por cable, y, conociendo la importancia de su firma en el sector, **(2) me tomo la libertad** de dirigirles la presente para ofrecerles mis servicios en un puesto similar.

Mi trabajo en el campo de la comunicación y mis contactos con **(3) los medios de comunicación**, generales y especializados, nacionales así como internacionales, **(4) me han permitido adquirir** todo tipo de relaciones. Por tanto, **(5) tengo una amplia experiencia** que puede serle útil a una empresa como la suya, en donde la comunicación **(6) tiene un papel** tan destacado.

Por otra parte, siempre he deseado poner mis competencias al servicio de un sector puntero como el suyo con un importante **(7) tanto por ciento de facturación** dedicado a la exportación.

(8) Les incluyo un historial y, en espera de sus noticias, me pongo a su entera disposición. Reciba un atento saludo,

CURRICULUM VITAE

El curriculum vitae tiene diferentes formas de presentación dependiendo del destinatario. Elige las que creas más correctas de las que te proponemos y luego contrasta tus resultados con el modelo que tienes al dorso :

1. ***Para referirse a la situación familiar se dice:***
   - madre
   - casada
   - con obligaciones

2. ***El lugar donde ahora se vive es... :***
   - Dirección general
   - A domicilio
   - Dirección actual

3. ***Para trabajar en un organismo oficial hay...:***
   - preparación a las oposiciones
   - preparación del concurso
   - concursante

4. ***La lengua de los padres es la :***
   - lengua materna
   - lengua viva
   - lengua propia

5 ***Casi bilingüe en una lengua extranjera es :***
   - perfecto dominio
   - maestría total
   - magisterio en

6 ***Defenderse en un idioma con soltura es :***
   - buen conocimiento
   - buenas relaciones
   - saber bueno

7 ***Trabajos que se han realizado:***
   - Profesionalismo
   - Experimentaciones
   - Experiencia laboral

8 ***Mencionar un puesto de trabajo :***
   - Secretaría de la redacción
   - Secretaria de redacción
   - Secretaria para redacción

Nombre y apellidos : Sophie Durevie
nacida en París el 12 de febrero de...

Situación familiar : **(1) casada**, con dos hijos.

(2) Dirección actual : c/ Angustias, 125 - Pozuelo de Alarcón (Madrid)
Tfno. : 345 89 67

Nacionalidad : española (adquirida en 19...)

Estudios secundarios :

19...	• Bachillerato en el Instituto "H. Balzac" (París)

Estudios superiores :

19...	• Primero y segundo año de **(3) preparación a las oposiciones** de entrada a la *École Normale Supérieure*.

Títulos

19...	• Licenciatura de Letras. Universidad de la Sorbona

Otros diplomas

19...	• Escuela Privada de Periodismo

Idiomas :

- francés : **(4) lengua materna**
- español : **(5) perfecto dominio** (escrito y hablado)
- inglés : **(5) perfecto dominio** (escrito y hablado)
- alemán : **(6) buen conocimiento**

(7) Experiencia laboral:

19... • Prácticas de tres meses en el periódico *Patria o Muerte* en La Paz (Bolivia): traducción de artículos, redacción de noticias de agencia.

19... - 19... • **(8) Secretaria de redacción** en el periódico de la empresa Ranking & Co. España.

19... - 19... Encargada de prensa en Cables Cruzados S.A.

¿CÓMO SE DICE?

- **Describir el puesto de trabajo que se desempeña**

  Desempeño el cargo de
Estoy de
Ocupo el puesto de
Ejerzo el empleo de } - encargada de prensa
- corresponsal de prensa

- **Introducir el puesto de trabajo que se desea**

  Quisiera hacerme cargo del puesto de...
Mis aptitudes corresponden a las características del puesto de...
Mi amplia formación así como mi experiencia profesional me acreditan para el desempeño de...

- **Candidaturas espontáneas**

  Me tomo la libertad de escribirles
Me permito dirigirle la presente

- **Decir que se tiene experiencia**

  Tengo una amplia experiencia
Mi experiencia en el campo de...
Creo poseer la experiencia exigida para esa función
Tengo una sólida formación comercial y una amplia experiencia profesional en el sector

¡NO OLVIDES!

– OJO con los significados de :
- **el campo de** = el área de trabajo, de actividades, etc.
- **el dominio de** = conocer o hacer algo de forma perfecta.

– Tienes que distinguir entre la palabra masculina **los medios, los medios de comunicación** y la femenina **las medias, las medias de una señora.**

– OJO: **un tipo de** es una clase de , mientras que **un tipo (de interés, de descuento...)** se refiere a un tanto por ciento.

– Las expresiones **tener un papel** y **desempeñar un papel son sinónimas; actuar en un papel** significa interpretar un personaje en cine, teatro. **Jugar un papel** es un galicismo.

– Para hacer referencia a las **ventas** de una empresa se pueden usar los términos de **facturación** o **volumen de negocios.**

– **Historial** es sinónimo de "curriculum".

¡Ahora tú!

• .... de tesorería de la sociedad Cambios Funestos, me .... la libertad de dirigirles la .... para .... mis servicios en un puesto .... Mis competencias, tanto nacionales .... internacionales pueden .... útiles a una empresa como la .... Por .... parte, siempre he .... trabajar en un sector .... como el suyo.
Les .... mi .... y, en .... de sus ...., le saluda atentamente,

• *Escribe el curriculum vitae de Crispín Rodillo a partir de los siguientes datos :*
Nací en Don Benito (Badajoz) en 19.. Después de estudiar en el Colegio de los Hermanos Maristas de Almendralejo,donde terminé el bachillerato, en 19..., me fui a Madrid, donde hice la carrera de Ingenieros Industriales ; después me marché a París y allí trabajé un año en la **Société Mécanique Solide**. Después me he seguido dedicando a estudiar idiomas y, además de dominar perfectamente el francés, hablo muy bien inglés. Desde 19... hasta la fecha estoy en la empresa **Herramientas Útiles** de Irún.

• *A partir del modelo propuesto en esta unidad escribe tu propio curriculum vitae.*

17 OFERTAS DE EMPLEO

Una de las filiales informáticas que trabajan para la firma Zagala precisa un ejecutivo de ventas. Para conseguirlo han puesto un anuncio en "Asuntos y Negocios" con la descripción del perfil de la persona que necesitan.

Completa la oferta de empleo con los términos que a continuación te proponemos:

1. ***La fórmula adecuada es:***
   - Busca
   - Se precisa
   - Es preciso

2. ***Descripción breve de lo que tendrá que hacer:***
   - Su cometido: se responsabilizará
   - Su comisión: se encargará
   - Su labor : se deshará

3. ***Para introducir el perfil de persona que necesitan:***
   - Se demanda
   - Se quiere
   - Se requiere

4. ***Indicar los estudios requeridos:***
   - Titulación universitaria
   - Con licencia

5. ***Indicar las cualidades personales:***
   - Gran dedicación al trabajo y dotes de mando
   - Gran dote y con devoción
   - Con su propia dotación

6. ***Conocimientos exigidos en idiomas:***
   - Vd. puede prescindir del inglés
   - Vd. se domina en inglés
   - Dominio del inglés imprescindible

7. ***"Empezar a trabajar inmediatamente":***
   - Compromiso inmediato con
   - Incorporación inmediata
   - Contrato inmediato de

8. ***Hablar del sueldo:***
   - Salario fijo + interés
   - Fijo + incentivos
   - Remuneración + estímulo

Para empresa líder en el sector de la informática industrial :

(1) ....

EJECUTIVO DE VENTAS

Este puesto se encuentra ubicado en nuestra sede en Madrid.

(2) .... de un equipo de vendedores de unas veinte personas.

(3) ....

(4) .... (Económicas - Ciencias Empresariales).

Dos o tres años de experiencia en puesto similar.

(5) .... así como capacidad de contacto.

(6) .... escrito y hablado (se valorará el conocimiento de otros idiomas).

SE OFRECE

(7) .... en plantilla.

Retribución competitiva compuesta de :

(8) .... + gastos, acorde con la valía del candidato.

Interesados envíen historial a :

Apartado de Correos 23456 - MADRID

a la referencia

DISTRIBUCIÓN/REPRESENTACIÓN

Para empresa líder en el sector de la informática industrial :

(1) SE PRECISA

EJECUTIVO DE VENTAS

Este puesto se encuentra ubicado en nuestra sede en Madrid.

(2) **Su cometido : se responsabilizará** de un equipo de vendedores de unas veinte personas.

(3) SE REQUIERE

(4) **Titulación universitaria** (Económicas - Ciencias Empresariales).

Dos o tres años de experiencia en puesto similar.

(5) **Gran dedicación al trabajo y dotes de mando** así como capacidad de contacto.

(6) **Dominio del inglés imprescindible** escrito y hablado (se valorará el conocimiento de otros idiomas).

SE OFRECE

(7) **Incorporación inmediata** en plantilla.

Retribución competitiva compuesta de :

(8) **Fijo + incentivos** + gastos, acorde con la valía del candidato.

Interesados envíen historial a :

Apartado de Correos 23456 - MADRID

a la referencia

DISTRIBUCIÓN/REPRESENTACIÓN

¿CÓMO SE DICE?

- **Fórmulas para introducir una oferta de empleo**

  Se necesitan representantes
  Buscamos secretaria bilingüe
  Editorial precisa...
  Se precisa mando intermedio
  Empresa desea incorporar vendedores
  Empresa líder del sector contrata ingeniero técnico
  Por ampliación de plantilla buscamos...

- **Descripción del puesto de trabajo**

  Se requiere amplia experiencia
  Son imprescindibles tres o más años en puesto similar
  Se exige dominio en el área de gestión informática
  El perfil del cargo es el siguiente
  Se precisa una persona con dotes de mando

  Conocimientos de idiomas

  Dominio hablado y escrito del inglés comercial
  Se exige buen nivel de inglés y alemán
  Se valorará el conocimiento de francés y de italiano

- **Duración de la jornada laboral**

  La jornada laboral es de ocho horas
  Proponemos un trabajo de media jornada
  Se trata de un trabajo de dedicación plena (exclusiva)
  En los bancos la jornada es continua (intensiva)

- **Desglose del salario que se va a percibir/Retribuciones**

  Proponemos...
  Un fijo y comisiones
  Una retribución anual de ...
  Ingresos anuales de... según valía y experiencia
  Retribución a convenir según aptitudes

La remuneración anual mínima será del orden de...
según aptitudes
Dietas en caso de desplazamiento

- **Envío de las solicitudes**

Los interesados deben dirigir su carta manuscrita adjuntando historial, referencias y foto al Apartado de Correos 100 MADRID indicando en el sobre la referencia BAO
Todas las solicitudes serán contestadas
Serán estudiadas todas aquellas solicitudes que se ajusten a nuestros requisitos
Rogamos se abstengan los candidatos que no reúnan los requisitos indicados
Se garantiza absoluta discreción
Los candidatos seleccionados serán convocados para una entrevista personal

¡NO OLVIDES!

– Observa que las palabras **ejecutivo** y **secretaria** no van precedidas de la preposición **a** , por el contrario se dice **busco *a* mi secretaria**, por ser una persona determinada.

– **Ejecutivo** (**de ventas**) es un cargo comercial. **Un directivo** es un cargo superior; **un mando intermedio** es un cargo inferior al de ejecutivo.

– Los títulos universitarios españoles son **diplomado** (con tres años de carrera) y **licenciado** (con cinco o más años).

– La **plantilla** es el personal laboral que compone un departamento. Por extensión es el personal que compone una empresa.

– Fíjate en que por **un fijo** se sobreentiende la palabra **sueldo o salario.** También **retribución salarial** se refiere al dinero percibido.

¡Ahora tú!

Completa los textos de los siguientes anuncios :

• SE .... dos vendedores para zona Centro.
SU .... : se encargarán de la distribución de productos alimentarios.
SE .... : buena experiencia y vehículo propio.
SE .... : buena .... compuesta de un .... + comisiones.

• Empresa informática .... ingeniero.
SE .... : Título de Ingeniero Superior de Telecomunicación o Industriales.
OFRECEMOS : .... inmediata en ...... equipo dinámico.
.... a convenir según experiencia y valía del candidato.

• .... urgentemente consultores especializados.
.... universitaria imprescindible (Licenciado en Económicas o Derecho)
Interesados .... historial al .... de Correos 4213, MADRID.

18 SOLICITAR UN EMPLEO

Ayuda a redactar la respuesta al anuncio aparecido en el periódico requiriendo un ejecutivo de ventas :

La carta de uno de los candidatos es muy interesante y corresponde al perfil que estaban buscando.

1. ***Para referirse al anuncio en el periódico :***
   - A continuación del
   - Después del
   - En relación con el

2. ***Motivo de la carta :***
   - con el fin de sacar un acta de la candidatura
   - a fin de proponer mi candidato
   - con el fin de solicitar el puesto

3. ***"Como podrá..." :***
   - notar en
   - apuntar en
   - comprobar por

4. ***Elige la expresión adecuada :***
   - estuve de practicante
   - hice un período de prácticas
   - practiqué

5. ***Para referirse al trabajo anterior :***
   - desempeñé el cargo de
   - soporté la carga del
   - estuve de encargado del

6. ***Expresar interés :***
   - Estoy particularmente interesado por el puesto
   - El puesto me motiva
   - El puesto me interesa demasiado

7. ***"Trabajar con ellos" :***
   - aumentar la plantilla
   - formar parte de la plantilla
   - formar a parte del personal

8. ***Esperar una respuesta rápida :***
   - En espera de una pronta respuesta
   - Contéstenme rápido
   - En espera de su contestación inmediata

Fermín Carrascosa del Valle
Plaza del 7 de julio, nº 8
28028 MADRID

DISTRIBUCIÓN/REPRESENTACIÓN
Apdo. de Correos, 23456 - MADRID

Madrid, 12 de octubre de........

Estimados Sres. :
(1) .... anuncio aparecido en el suplemento de *Asuntos y Negocios* del 7 del corriente, me permito dirigirles la presente (2) .... de Ejecutivo de Ventas de su empresa.
(3) .... los documentos adjuntos, obtuve el título de Licenciado en Económicas por la Universidad de Madrid (Rama de Empresariales). Después de cumplir mi servicio militar, pasé un curso en Francia ampliando estudios. Luego (4) .... durante cinco meses en el Departamento de Ventas de Nilones&Nilanas España S.A. Desde entonces y hasta hace dos meses (5) .... Responsable de Ventas de la División "Sintéticos" en dicha empresa. Adquirida por la multinacional japonesa Kenones, esta última acaba de realizar una drástica reducción de personal y me encuentro actualmente en paro.
(6) .... ofrecido por Vds. y me gustaría
(7) .... ya que mi perfil creo corresponde a las características propuestas.
(8) ...., les saluda atentamente,

F. Carrascosa del Valle
Fermín Carrascosa del Valle

Estimados Sres. :

(1) **En relación con el** anuncio aparecido en el suplemento *de Asuntos y Negocios* del 7 del corriente, me permito dirigirles la presente (2) **con el fin de solicitar el puesto** de Ejecutivo de Ventas de su empresa.
(3) **Como podrá comprobar por** los documentos adjuntos, obtuve el título de Licenciado en Económicas por la Universidad de Madrid (Rama de Empresariales).
Después de cumplir mi servicio militar, pasé un curso en Francia ampliando estudios. Luego (4) **hice un período de prácticas** durante cinco meses en el Departamento de Ventas de Nilones&Nilanas España S.A. Desde entonces y hasta hace dos meses (5) **desempeñé el cargo de** Responsable de Ventas de la División "Sintéticos" en dicha empresa. Adquirida por la multinacional japonesa Kenones, esta última acaba de realizar una drástica reducción de personal y me encuentro actualmente en paro.
(6) **Estoy particularmente interesado por el puesto** ofrecido por Vds. y me gustaría (7) **formar parte de la plantilla**, ya que mi perfil creo corresponde a las características propuestas.

(8) **En espera de una pronta respuesta**, les saluda atentamente,

¿CÓMO SE DICE?

- **Presentarse como candidato**
  Tengo el honor de solicitar el puesto (el cargo)
  En contestación a su anuncio
  En relación con el anuncio aparecido en...
  Tras la publicación de su anuncio
  Me permito dirigirle la presente para solicitar...
  Me permito solicitar el puesto de...

- **Expresar interés**
  Estoy particularmente interesado por el puesto de...
  Tengo mucho interés en...
  Sería de gran interés personal y profesional poder

- **Hablar de la experiencia profesional**
  Durante estos últimos años
  Desempeñé el cargo de...
  Adquirí una amplia experiencia en el campo comercial
  Hice un período de prácticas en el extranjero
  Seguí varios cursillos de capacitación
  Creo tener la capacidad necesaria para ocupar el puesto vacante

- **Razones por las que no se trabaja**
  Por estar en (el) paro/parado/desempleado
  Como consecuencia de un despido colectivo
  Me han despedido por razones económicas

- **Sobre credenciales**
  Para mayor información, podrá dirigirse a...
  Puede(n) pedir informes
  Estoy a su disposición para cualquier información
  Le(s) adjunto referencias de entidades y personas que testimonian mi capacidad/eficacia/seriedad

- **Fórmulas para terminar**
  Estoy a su entera disposición
  Me pongo a su entera disposición
  En espera de sus noticias
  En espera de una respuesta afirmativa
  Esperando que mi solicitud sea de su interés
  Con la esperanza de que mi candidatura suscite su interés, me pongo a su entera disposición para cualquier entrevista
  Estoy a su disposición para cualquier entrevista

- **Candidaturas aceptadas**
  Nos es grato comunicarle
  Nos complace comunicarle

- **Candidaturas rechazadas**
  Sentimos manifestarle que...
  Lamentamos comunicarle que...

¡NO OLVIDES!

– **Con el fin de** y **a fin de** son expresiones equivalentes.

– La palabra **prácticas** se usa para referirse al periodo de adaptación al trabajo, mientras que la palabra **cursillo** es el periodo de formación.

– **Estar de** se usa para introducir el puesto de trabajo que se desempeña.

– No hay que confundir :
-**despedir a alguien** = echar del trabajo,
- **despedirse de alguien** = decir adiós, terminar la carta.

– **Cualquier** es una palabra invariable, es tanto masculina como femenina : **cualquier información (la información), cualquier informe (el informe)**. Si va detrás se convierte en **cualquiera: una empresa cualquiera** ; **un informe cualquiera**.

¡Ahora tú!

Ayuda a redactar las cartas de los siguientes candidatos :

• En .... a su .... aparecido en el suplemento de Vogue en Buga bajo la ref. LI-0, tengo el honor de .... el .... de Secretaria Ejecutiva. Como podrá comprobar .... mi historial, ... de haber hecho un periodo de .... en Estados Unidos, ... perfectamente el inglés y estoy .... interesada ...... el puesto que proponen.

• En .... a su anuncio, tengo el honor de .... el .... de Administrativo de 3ª en su empresa. Aunque estoy actualmente en .... por .... económicas, tengo una .... experiencia en este campo. Como podrá .... por mi curriculum, después .... formar parte de la .... de Pablos Oficinas durante 25 años, ... (entrar) en la empresa TBO hasta que .... (desaparecer).

ABREVIATURAS Y SIGLAS

Acpt.	aceptación
Admón.	Administración
Apdo.	Apartado
art.	artículo
atte.	atentamente
atto.	atento
Av. (Avda.)	avenida
b.°	beneficio
Bco.	Banco
B. O. E.	Boletín Oficial del Estado
c/c	cuenta corriente
c°	cambio
cgo.	cargo
Cía.	compañía
C.I.F.	coste, seguro y flete
cje.	corretaje
cl.	centilitro
cm.	centímetro
cta.	cuenta
cte.	corriente
D/A	documentos contra aceptación
d/f	días fecha
d/v	días vista
d/p	documentos contra pago
D.	don
Dª	doña
dcha.	derecha
Dpto.	Departamento
Dr.	doctor
entlo.	entresuelo
Excmo.	Excelentísimo

EE. UU.	Estados Unidos
EE. UU. M.	Estados Unidos de Méjico
F.A.S.	franco al costado del buque
F.C.	ferrocarril
F.O.B.	franco a bordo
F.O.R.	franco-vagón
G/	giro
g/p.	giro postal
G.V.	gran velocidad
Hnos.	hermanos
id.	idem
Ilmo., Ilma.	Ilustrísimo(a)
impte.	importe
Ing°	ingeniero
izq.	izquierda
I. V. A.	Impuesto del Valor Añadido
J.D.	Junta directiva
J. de G.	Junta de gobierno
J.G.	Junta general
J.O.	Junta ordinaria
L/	letra de cambio
Ldo.	licenciado
liq.	líquido
m/a	mi aceptación
m/c.	
(m/cta.)	mi cuenta
m/cgo.	mi cargo
m/f.	mi favor
m/fra.	mi factura
m/g.	mi giro
m/l.	mi letra
m/o.	mi orden

m/r.	mi remesa
m/t.	mi talón
m/ref.	mi referencia
n/cta.	nuestra cuenta
n/cgo.	nuestro cargo
n/f.	nuestro favor
n/fra.	nuestra factura
n/g.	nuestro giro
n/l.	nuestra letra
n/o.	nuestra orden
n/t.	nuestro talón
n/r.	nuestra remesa
n/ref.	nuestra referencia
N.B.	nota bene
n°	número
ntro (a).	nuestro(a)
O/	orden
O/P.	orden de pago
O.C.D.E	Organización para la Cooperación y el Desarrollo Económico
O.M.	Orden Ministerial
P/	pagaré
P/d	porte debido
P.A.	por autorización
p. b.	peso bruto
pág.	página
P.D. (P.S)	posdata
p.e. (p. ej.)	por ejemplo
P°	paseo
P.O.	por orden
P.N.	peso neto
P.P.	por poderes
P.p.	porte pagado
p.pdo.	próximo pasado

pral.	principal
pról.	prólogo
prov.	provincia
Rbla.	rambla
Rbí.	recibí
Rte.	remite, remitente
S.A.	sociedad anónima
S.E u O.	salvo error u omisión
S.L. (S.R.L.)	sociedad a responsabilidad limitada
Sgte(s).	siguiente(s)
Sr.	señor
Sra.	señora
Srta.	señorita
Suc.	sucursal
%	tanto por ciento
tfno.	teléfono
tlx.	télex
v/d.	valor declarado
V. E.	Vuestra Excelencia
Vd (s).	usted(es)
V° B°	visto bueno
vt°.	vencimiento